escale a
washington

Capitale fédérale des États-Unis

Superficie: 177 km²

Population: 646 000 habitants

Bâtiment le plus haut : Washington
Monument (169 m)

Fuseau horaire: UTC –5

ULYSSE

Crédits

Recherche et rédaction : Annie Gilbert
Recherche et rédaction antérieures, extraits du guide Ulysse *Washington, D.C.* **:** Lorette Pierson
Éditeur : Pierre Ledoux
Adjointe à l'édition : Julie Brodeur
Contributions antérieures au guide Ulysse *Washington, D.C.* **:** Suzanne Boucher, François Brodeur, Oriane Lemaire

Correction : Pierre Daveluy
Conception graphique : Pascal Biet
Conception graphique de la page couverture et cartographie : Philippe Thomas
Mise en page : Judy Tan
Photographie de la page couverture : Métro de Washington © Nikreates / Alamy

Cet ouvrage a été réalisé sous la direction de Claude Morneau.

Remerciements

Merci à Alicia Malone de Destination DC, Donna M. Murray de la Washington Metropolitan Area Transit Authority et Lyse Gravel pour leur aide.

Guides de voyage Ulysse reconnaît l'aide financière du gouvernement du Canada par l'entremise du Fonds du livre du Canada (FLC) pour ses activités d'édition.

Guides de voyage Ulysse tient également à remercier le gouvernement du Québec – Programme de crédit d'impôt pour l'édition de livres – Gestion SODEC.

Guides de voyage Ulysse est membre de l'Association nationale des éditeurs de livres.

Note aux lecteurs

Tous les moyens possibles ont été pris pour que les renseignements contenus dans ce guide soient exacts au moment de mettre sous presse. Toutefois, des erreurs peuvent toujours se glisser, des omissions sont toujours possibles, des adresses peuvent disparaître, etc.; la responsabilité de l'éditeur ou des auteurs ne pourrait s'engager en cas de perte ou de dommage qui serait causé par une erreur ou une omission.

Écrivez-nous

Nous apprécions au plus haut point vos commentaires, précisions et suggestions, qui permettent l'amélioration constante de nos publications. Il nous fera plaisir d'offrir un de nos guides aux auteurs des meilleures contributions. Écrivez-nous à l'une des adresses suivantes, et indiquez le titre qu'il vous plairait de recevoir.

Guides de voyage Ulysse
4176, rue Saint-Denis, Montréal (Québec), Canada H2W 2M5, www.guidesulysse.com, texte@ulysse.ca

Les Guides de voyage Ulysse, sarl
127, rue Amelot, 75011 Paris, France, www.guidesulysse.com, voyage@ulysse.ca

Catalogage avant publication de Bibliothèque et Archives nationales du Québec et Bibliothèque et Archives Canada

Vedette principale au titre :
 Escale à Washington
 Comprend un index.
 ISBN 978-2-89464-697-7
 1. Washington (D.C.) - Guides.
 F192.3.E82 2014 917.5304'42 C2014-940387-9

© Guides de voyage Ulysse inc.
Tous droits réservés
Bibliothèque et Archives nationales du Québec
Dépôt légal – Quatrième trimestre 2014
ISBN 978-2-89464-697-7 (version imprimée)
ISBN 978-2-76580-969-2 (version numérique PDF)
ISBN 978-2-76580-960-9 (version numérique ePub)
Imprimé en Italie

sommaire

↘

Plusieurs ne voient en Washington qu'une fonction administrative. Il est vrai que l'originalité de l'atmosphère de la capitale des États-Unis tient beaucoup à son activité gouvernementale, qui domine l'économie. Mais cette ville élégante offre bien plus à découvrir. Outre une architecture néoclassique remarquable, la ville peut s'enorgueillir d'abriter des institutions culturelles de tout premier ordre. Aussi le tourisme s'y est-il largement développé, près de 20 millions de visiteurs venant chaque année arpenter ses élégantes avenues, ses parcs et ses nombreux espaces verts, explorer les magnifiques collections de ses innombrables musées (la plupart gratuits!), admirer ses cerisiers en fleurs au printemps, visiter la Maison-Blanche, résidence du président des États-Unis, le Capitole, siège des assemblées du Congrès américain, ou encore le Pentagone, célèbre symbole de la puissance militaire du pays.

Les circuits du présent guide vous conduiront dans les divers quartiers de Washington, afin de vous faire apprécier les beautés de cette ville à l'échelle humaine. Depuis le National Mall, cette vaste esplanade bordée des plus grands musées de la ville, jusqu'à Georgetown, secteur résidentiel chic et branché aux vieilles maisons de briques rouges, en passant par Dupont Circle et ses nombreux restaurants ou Adams Morgan, un quartier haut en couleur où se côtoient différentes ethnies, nous vous convions à découvrir au gré de votre humeur cette ravissante capitale historique et politique.

le meilleur de washington

washington

En **10** images emblématiques

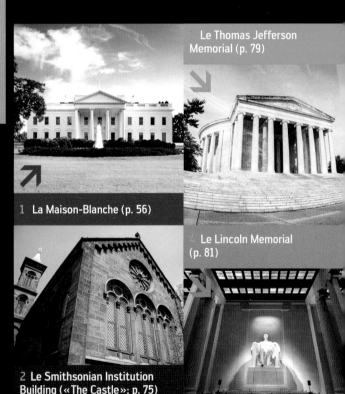

Le Thomas Jefferson Memorial (p. 79)

1 La Maison-Blanche (p. 56)

2 Le Lincoln Memorial (p. 81)

2 Le Smithsonian Institution Building («The Castle»; p. 75)

5 Le Capitole (p. 28)

6 Le Pentagone (p. 131)

7 Le Washington Monument (p. 83)

9 Le National Mall (p. 70)

L'Arlington National Cemetery (p. 128)

10 Les cerisiers en fleurs (p. 12, 80)

En quelques heures

↘ Visiter la Maison-Blanche (p. 56)

Pour admirer le symbole de la puissance américaine le plus reconnu à l'échelle internationale.

↘ Faire une balade sur le National Mall (p. 70)

Pour s'émerveiller devant les nombreux musées du Smithsonian.

↘ Se rendre au Lincoln Memorial (p. 81)

Pour voir la monumentale statue du président Lincoln.

↘ Prendre l'ascenseur jusqu'au sommet du Washington Monument (voir p. 83)

Pour profiter d'une vue imprenable sur la ville.

En une journée

Ce qui précède plus...

↘ Explorer l'un des musées du Smithsonian, entre autres le National Air and Space Museum (p. 71) ou le National Museum of Natural History (p. 78).

Pour la richesse et la diversité de leurs expositions (avions, pierres précieuses, art classique et moderne, sciences naturelles...).

↘ Visiter l'United States Capitol (p. 28)

Pour découvrir le splendide édifice où siège le Sénat américain.

En un week-end

Ce qui précède plus…

↘ Visiter la National Gallery of Art (p. 78)

Pour découvrir des chefs-d'œuvre picturaux et sculpturaux du Moyen Âge jusqu'à l'époque moderne.

↘ Explorer la Library of Congress (p. 33)

Pour admirer la plus grande bibliothèque au monde.

↘ Faire une balade dans **Georgetown** (p. 110)

Pour profiter de son agréable atmosphère et découvrir ses nombreux restaurants et boutiques.

En **10** repères

1 Afro-Américains

Dans les années 1970 et 1980, la communauté afro-américaine comptait pour plus de 70% de la population de Washington, que l'on qualifiait alors de «ville noire». Cette proportion a cependant beaucoup décliné depuis, au point de glisser sous la barre des 50% en 2011. De nombreuses familles afro-américaines, souvent moins fortunées, ont en effet migré vers la banlieue et ses logements plus abordables au cours des dernières décennies.

2 Cerisiers en fleurs

Créé comme réservoir d'eau douce entre le fleuve Potomac et le Washington Channel, le **Tidal Basin** fut bordé de cerisiers offerts par le Japon en 1912. Les visiteurs qui séjournent à Washington vers la fin du mois de mars et durant les premiers jours d'avril peuvent les contempler alors qu'ils sont en fleurs, un spectacle irrésistible devenu iconique de la capitale américaine.

3 Duke Ellington

Pianiste et compositeur né à Washington, Duke Ellington (1899-1974) forma en 1923 le fameux orchestre de jazz avec lequel il parcourra l'Amérique et l'Europe, collaborant à l'occasion avec d'autres légendes comme Ella Fitzgerald, Django Reinhardt, Maurice Chevalier et Frank Sinatra. Il jouera aussi au cinéma, notamment dans *Anatomy of a Murder* d'Otto Preminger, film pour lequel il composa la bande origi-

nale, ce qui lui valut l'un des 13 Grammy Awards qu'il a reçus au cours de sa carrière.

4 Pierre Charles L'Enfant

George Washington confia à cet urbaniste français, qui s'était joint à la Révolution américaine en 1777, la réalisation des plans de la capitale du nouveau pays. Visionnaire, mais aussi irascible et insubordonné, il sera rapidement relevé de ses fonctions et s'enfuira avec ses plans. On construira tout de même la ville en partie comme il l'avait imaginée, sans qu'il reçoive la moindre rémunération, et il finira sa vie dans la pauvreté. Ce n'est qu'au début du XXe siècle qu'il sera réhabilité et que ses plans retrouvés inspireront la création du National Mall.

5 National Mall

Cette grande avenue de prestige, que l'on appelle communément The Mall, constituait l'épine dorsale de la ville qu'imagina Pierre Charles L'Enfant. Mais l'urbaniste ayant été remercié avant même la construction de la ville, il fallut attendre plus de 110 ans avant que le projet ne soit enfin réalisé. La commission McMillan fut instaurée en 1902 pour développer la ville et, plus particulièrement, pour réaliser le National Mall dans le respect de la vision de son concepteur. Dans les années qui suivirent, les fameux musées du Smithsonian virent le jour les uns après les autres, des jardins et plans d'eau furent aménagés et de spectaculaires monuments furent érigés.

En **10** repères *(suite)*

6 Potomac

C'est aux abords du fleuve Potomac (prononcer PoTOmic) que la jeune république américaine décida d'installer sa capitale. Ce long fleuve (environ 640 km) se jette dans la baie de Chesapeake à environ 200 km au sud-est de Washington. Il devint mondialement connu en janvier 1982 lorsqu'un Boeing 737, venant de décoller du Washington National Airport, s'abîma dans ses eaux glacées après avoir percuté le 14th Street Bridge, qui relie Washington à Arlington.

7 Soft Shell Blue Crab

Le crabe bleu à carapace molle se trouve principalement dans les eaux de la baie de Chesapeake, pas très loin de Washington. C'est durant l'été, alors que ce petit crabe mue et que son ancienne carapace dure laisse place à une autre plus molle, que les pêcheurs viennent le pêcher. Servi frit, farci ou en salade, il constitue une spécialité culinaire du Maryland. La mollesse de sa carapace fait que l'on n'a pas à le décortiquer; tout se mange tel quel.

8 Smithsonian Institution

On doit à cette organisation de nombreux musées de Washington, dont plusieurs bordent le Mall. Elle est dirigée par un conseil d'administration où siègent notamment le vice-président et le procureur général des États-Unis. Créée en 1846, elle donnait suite au legs d'un demi-million de dollars effectué par un scientifique anglais, James Smithson, désireux que soit créée aux États-Unis une institution vouée à la diffusion

des connaissances. Elle regroupe aujourd'hui pas moins de 19 musées, ainsi que le National Zoological Park et plusieurs départements de recherche. L'ouverture d'un 20e musée, le National Museum of African American History and Culture, est prévue pour 2015.

9 George Washington

Commandant des armées coloniales lors de la Révolution américaine, Washington milite après le conflit en faveur de la création d'un gouvernement fédéral pour la nouvelle république. Il préside le Congrès constitutionnel de 1787, puis devient en 1789 le premier président des États-Unis d'Amérique. En 1790, il établira la capitale de la nation américaine, Federal City, à l'endroit même où se trouve aujourd'hui la ville qui, depuis 1791, porte son nom.

10 Watergate

En juin 1972, un gardien de sécurité du complexe immobilier Watergate signale à la police la présence de cambrioleurs dans les locaux du Parti démocrate. Ceux-ci avaient été mandatés par le comité de réélection du président Richard Nixon afin de trouver des documents permettant de discréditer son opposant démocrate, George McGovern. Nixon et son entourage font ensuite pression sur le FBI pour que l'enquête soit abandonnée, mais des bandes enregistrées de conversations, qui ne laissent aucun doute quant à la complicité du président dans cette affaire, sont éventuellement rendues publiques et forcent Nixon à démissionner deux ans plus tard.

En **15** dates importantes

1   **1751**: Georgetown est fondée.

2   **1789**: George Washington devient le premier président des États-Unis.

3   **1791**: George Washington crée le district de Columbia et la ville de Washington, qui englobe Georgetown et Alexandria.

4   **1814**: alors que la guerre entre les Anglais et les Américains dure depuis 1812, le 24 août 1814, les Anglais mettent le feu aux principaux édifices de Washington, entre autres la Maison-Blanche et le Capitole.

5   **1862**: le 16 avril, l'esclavage est aboli dans le district de Columbia.

6   **1865**: le 14 avril, le deuxième président américain, Abraham Lincoln, est assassiné dans la salle du Ford's Theatre.

7   **1884**: le Washington Monument est érigé.

8   **1895**: la ville de Washington prend le nom officiel de Washington, D.C.

9   **1963**: le 28 août, le **Dr. Martin Luther King** prononce son célèbre discours *I have a dream* sur les marches du Lincoln Memorial. En novembre de la même année, le président John F. Kennedy est assassiné à Dallas, au Texas.

10 **1968**: à la suite de l'assassinat du Dr. Martin Luther King au Tennessee, des émeutes raciales éclatent dans plusieurs villes américaines dont Washington, où une dizaine de personnes sont tuées et plusieurs milliers sont arrêtées.

11 **1972**: à la suite du scandale du Watergate, Richard Nixon est contraint de démissionner.

12 **1976**: le métro de Washington entre en fonction.

13 **2001**: lors des attentats du 11 septembre 2001, un avion détourné par des terroristes s'écrase sur le Pentagone et fait près de 200 morts.

14 **2008**: Barack Obama devient le premier président afro-américain des États-Unis.

15 **2009**: le district de Columbia autorise le mariage entre conjoints de même sexe.

En **10** expériences culturelles

En **5** expériences uniques

1 Se rendre au sommet du Washington Monument, pour contempler la vue exceptionnelle sur la ville (p. 83)

2 Visiter la Maison-Blanche, où habite le président des États-Unis (p. 56)

3 Explorer l'un des musées gratuits du Smithsonian, comme le **National Museum of the American Indian** (p. 70), le National Air and Space Museum (p. 71) ou le National Museum of Natural History (p. 78)

4 Sortir des sentiers battus en visitant l'International Spy Museum (p. 44), le National Museum of Crime & Punishment (p. 44) ou le National Geographic Museum (p. 88)

5 Se balader sur le National Mall, un espace de verdure où les Washingtoniens aiment venir se promener (p. 70)

En **10** icônes architecturales

En 5 beaux espaces verts

1 National Mall (p. 70)
2 **Rock Creek Park** (p. 124)
3 Kenilworth Park and Aquatic Gardens (p. 126)
4 United States National Arboretum (p. 126)
5 Constitution Gardens (p. 83)

En 5 vues exceptionnelles

1 Depuis le sommet du Washington Monument (p. 83)
2 Du Washington Harbour (p. 111)
3 De la West Terrace du Capitole (p. 29)
4 Depuis l'**Arlington House** (p. 128)
5 Du haut de la Clock Tower de l'Old Post Office Pavilion (p. 47)

En 5 endroits ou événements pour faire plaisir aux enfants

En 5 belles terrasses

En **5** classiques de la cuisine locale

1 Le *chili half-smoke* de chez Ben's Chili Bowl (p. 108)

2 Les Award Winning Duck Fat Doughnuts de la Poste Moderne Brasserie (voir p. 51)

3 Le **crabe bleu** du Maine Avenue Fish Market (voir p. 80)

4 Les grillades de viandes et de poissons de l'Occidental Grill & Seafood (voir p. 68)

5 Les poissons et fruits de mer du Sea Catch Restaurant and Raw Bar (voir p. 120)

En **5** grandes tables

1 Blue Duck Tavern (p. 102)

2 **CityZen** (p. 84)

3 Komi (p. 94)

4 Sequoia (p. 120)

5 Sea Catch Restaurant and Raw Bar (p. 120)

En **5** pauses café avec... ou sans pâtisseries

En **5** tables créatives

En **5** hôtels qui sortent de l'ordinaire

En **5** incontournables de la vie nocturne

En **10** incontournables du lèche-vitrine

explorer
washington

Capitol Hill

1 ↘

Capitol Hill

À voir, à faire

(voir carte p. 31)

Capitol Hill ★★★, colline parlementaire haute de 27 m, fit l'effet d'«un piédestal attendant son monument» à Pierre Charles L'Enfant, cet architecte et ingénieur civil français à qui l'on confia les plans de Washington après la Révolution américaine. Il décida ainsi de faire de Capitol Hill le centre de son projet de nouvelle capitale en 1791. Bien que les plans d'origine de L'Enfant n'aient pas été scrupuleusement suivis, le Capitole (United States Capitol en anglais) demeure encore aujourd'hui le point central de la ville vers lequel convergent les grandes avenues. C'est en effet à partir de cet imposant bâtiment, symbole de la démocratie américaine, que se divise Washington en quatre grands secteurs, à savoir North East (NE), South East (SE), South West (SW) et North West (NW). Il s'agit là d'une zone touristique majeure de Washington, qui accueille chaque année plusieurs millions de touristes désireux de visiter les hautes sphères du gouvernement fédéral.

United States Capitol ★★★ [1]

visites guidées gratuites lun-sam 8h30 à 16h30, réservations requises; First St. entre Independence Ave. et Constitution Ave., métro Capitol South ou Union Station, 202-226-8000, www.visitthecapitol.gov

Le Capitole, qui loge la chambre du Sénat, constitue l'un des points de repère les plus visibles de Washington. Prévoyant que la ville allait se développer vers l'est, on a orienté sa façade principale dans cette direction. Mais les prévisions s'avérèrent inexactes. C'est pourquoi aujourd'hui le Capitole tourne le dos de façon surprenante à la partie principale de la ville et à la

United States Capitol.

Capitol Hill

plupart des autres bâtiments du gouvernement.

Avant de quitter le Capitole, rendez-vous sur la **West Terrace ★★**, qui fait face au Mall. De là, vous pourrez contempler une très belle vue sur les jardins du National Mall et, au loin, le Lincoln Memorial et le fleuve Potomac.

Ulysses S. Grant Memorial [2]
angle First St. et East Mall

À l'arrière du Capitole, dans le prolongement du **National Mall** (voir p. 70), se dresse le Ulysses S. Grant Memorial, une imposante statue équestre à l'effigie du général Ulysses Simpson Grant (1822-1885), commandant en chef des armées de l'Union durant la guerre civile américaine et 18e président des États-Unis d'Amérique. Cette œuvre commémorative érigée en 1922, puis agrémentée d'un plan d'eau en 1976, la **Capitol Reflecting Pool** [3], est l'une des plus grandes statues de bronze au monde.

Peace Monument [4]
angle First St. et Pennsylvania Ave.

Près du Ulysses S. Grant Memorial se trouve une autre statue commémorative que l'on doit au sculpteur Franklin Simmons, le Peace Monument. Ce monument de marbre blanc représente l'Amérique sous les traits d'une femme accablée de douleur. Elle épanche sa peine et pleure ses héros morts pour la patrie sur l'épaule d'une autre femme qui personnifie l'Histoire, tandis que les statues de Neptune, de Mars, de la Victoire et de la Paix, qui l'entourent, tentent de la consoler.

Capitol Hill

Ulysses S. Grant Memorial.

À voir, à faire ★

1.	AX	United States Capitol
2.	AX	Ulysses S. Grant Memorial
3.	AX	Capitol Reflecting Pool
4.	AX	Peace Monument
5.	AX	James A. Garfield Memorial
6.	AX	United States Botanic Garden
7.	AX	Bartholdi Fountain
8.	BX	Library of Congress
9.	BX	Supreme Court
10.	BX	Sewal-Belmont House & Museum
11.	BW	Union Station
12.	AW	National Postal Museum
13.	BX	Folger Shakespeare Library
14.	BX	St. Mark's Episcopal Church
15.	CX	Eastern Market
16.	BY	Christ Church on Capitol Hill
17.	CX	Lincoln Park

Cafés et restos ●

18.	CX	Ambar
19.	AW	Bistro Bis
20.	BY	Mr Henry's Victorian Pub
21.	CW	The Atlas Room

Bars et boîtes de nuit ♪

22.	CV	Little Miss Whiskey's Golden Dollar
23.	AW	The Dubliner

Lèche-vitrine ■

24.	BW	Union Station/America!
25.	CY	The Sweet Lobby

Hébergement ▲

26.	AW	Hotel George
27.	AW	Hyatt Regency Washington on Capitol Hill
28.	AW	The Liaison Capitol Hill

Capitol Hill

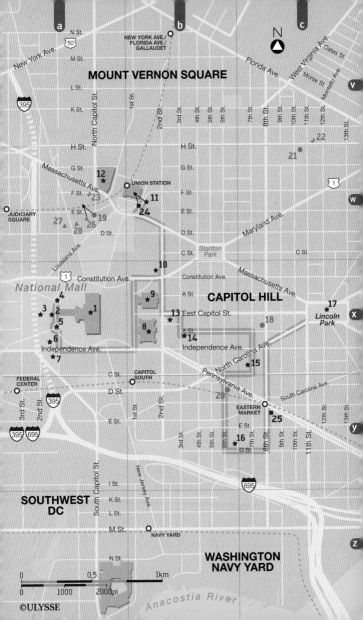

1. Library of Congress.
2. Supreme Court.

James A. Garfield Memorial [5]

angle First St. et Maryland Ave.

Au sud du Ulysses S. Grant Memorial se dresse une troisième statue commémorative, le James A. Garfield Memorial. En 1880, James Abram Garfield (1831-1881) fut élu 20e président des États-Unis. Le 2 juillet 1881, un désaxé, du nom de Charles Guiteau, fit feu sur le président, qui succomba le 19 septembre de ses blessures après quelques mois seulement à la présidence.

United States Botanic Garden ★★ [6]

entrée libre; tlj 10h à 17h; 100 Maryland Ave. SW, métro Federal Center SW, 202-225-8333, www.usbg.gov

L'United States Botanic Garden abrite des serres renfermant des cactus et des fougères, ainsi qu'une salle consacrée aux plantes subtropicales qui regorge d'orchidées. Une petite terrasse avec tables accueille les visiteurs désireux de se reposer à l'ombre bien appréciable des parasols.

Bartholdi Fountain [7]

angle First St. et Independence Ave. SW, métro Federal Center SW

Il n'y a pas qu'à New York que le sculpteur Auguste Bartholdi a laissé son empreinte. Bien que de taille plus modeste que la statue de la Liberté, la Bartholdi Fountain est une œuvre très élégante qui fut créée pour l'exposition du centenaire de Philadelphie et que le gouvernement américain acheta par la suite.

Empruntez Independence Avenue vers l'est jusqu'à First Street SE, que vous prendrez à gauche.

2

Library of Congress ★★★ [8]

lun-sam 8h30 à 17h; 101 Independence Ave. SE, à l'angle de First St., métro Capitol South, 202-707-8000, www.loc.gov

Plus grande bibliothèque du monde, la Library of Congress occupe un édifice dont la façade rappelle étrangement l'Opéra Garnier de Paris. La bibliothèque du Congrès réunit en ses murs la plus vaste collection du monde, avec quelque 34 millions de livres et manuscrits et 117 millions d'enregistrements musicaux, films, cartes et dessins entreposés sur près de 560 km de rayonnages. Outre sa fabuleuse collection d'ouvrages en tous genres, la bibliothèque du Congrès cache l'un des intérieurs les plus somptueux de toute la ville.

Supreme Court ★★ [9]

lun-ven 9h à 16h30; First St. NE entre Maryland Ave. et East Capitol St., métro Capitol South, 202-479-3000, www.supremecourt.gov

Face au Capitole se dresse majestueusement un bâtiment néoclassique en marbre blanc du Vermont qui ressemble à un temple romain. Il s'agit de la Cour suprême des États-Unis. Bâti en 1935, cet imposant édifice se veut assurément le symbole de la grande puissance de la plus haute cour de justice du pays. Constituée de neuf juges nommés à vie par le président américain, elle est le garant du respect de la Constitution américaine. Ainsi les neuf juges tranchent-ils les débats relatifs à l'interprétation des articles de la Constitution. Ils ont le pouvoir de déclarer anticonstitutionnels lois et règlements, et leurs décisions sont sans appel.

Tournez à droite dans Constitution Avenue NE.

Washington, D.C. vue depuis la Clock Tower de l'Old Post Office Pavilion.

Sewal-Belmont House & Museum [10]

visites guidées 8$, jeu-sam à 11h, 13h et 15h; 144 Constitution Ave. NE, métro Union Station ou Capitol South, 202-546-1210, www.sewallbelmont.org

La Sewal-Belmont House est la plus vieille maison de Capitol Hill. Bâtie sur d'anciennes fondations datant du XVIIe siècle, la maison en brique que l'on peut aujourd'hui contempler fut conçue en 1800 par Robert Sewall et demeura pendant plus de 120 ans la propriété de la famille Sewall. Elle fut rachetée en 1929 par Alva Smith, qui décida de faire de cette demeure le siège du National Woman's Party. Aujourd'hui, la vieille demeure abrite un musée du mouvement féministe américain.

En remontant Second Street vers le nord, vous arriverez à l'Union Station.

Union Station ★ [11]

40 Massachusetts Ave. NE, métro Union Station

La superbe Union Station, plus grande gare ferroviaire des États-Unis, fut inaugurée en 1908. Dans les années 1920 et 1930, à l'âge d'or du trafic ferroviaire, on y aiguillait jusqu'à 200 trains par jour. Le portique d'entrée débouche sur un vaste hall coiffé d'une gigantesque voûte en berceau, version Beaux-Arts des thermes romains de Dioclétien. Les lieux abritent également une foule de boutiques (voir p. 38) et de restaurants.

National Postal Museum ★ [12]

entrée libre; tlj 10h à 17h30; 2 Massachusetts Ave. NE, métro Union Station, 202-633-5555, www.postalmuseum.si.edu

À l'ouest de l'Union Station se trouve le National Postal Museum, dont la façade est aisément identifiable grâce à son enfilade de colonnes

Le district de Columbia, ou D.C.

Le district de Columbia, c'est le district fédéral des États-Unis. Dans ce territoire d'environ 175 km² vivent plus de 600 000 habitants. En fait, le district correspond à la seule ville de Washington, dont la région métropolitaine, qui déborde sur les États voisins, compte près de 6 millions d'habitants.

En 1787, quand la Constitution américaine fut adoptée, le territoire du district se trouvait à la fois dans l'État de Virginie et dans l'État du Maryland. Puis, en 1791, il fut cédé au gouvernement pour en faire la capitale fédérale du pays, aujourd'hui encore gouvernée par le Congrès.

Bien connu sous son abréviation D.C., qu'on ajoute au nom de la ville de Washington pour la distinguer de l'État de Washington, dans le nord-ouest du pays, le district de Columbia porte ce nom en référence au nom poétique qu'on aurait voulu donner au pays au XVIIIe siècle et à Christopher Columbus (Christophe Colomb, le découvreur de l'Amérique).

Capitol Hill

ioniques. Ce musée national de la poste renferme l'impressionnante collection philatélique du Smithsonian, en plus de plusieurs artéfacts dont une lettre retrouvée à bord du *Titanic*.

Revenez sur vos pas jusqu'à East Capitol Street, que vous prendrez à gauche.

Folger Shakespeare Library ★ [13]
lun-sam 10h à 17h, dim 12h à 17h; 201 East Capitol St. SE, métro Capitol South, 202-544-4600, www.folger.edu

Cette bibliothèque renferme une des plus grandes collections du monde consacrées exclusivement au poète dramatique anglais William Shakespeare (1564-1616), à son œuvre, aux représentations théâtrales de ses pièces et à son époque. Plus de 300 000 livres et manuscrits y sont conservés. Le bâtiment révèle à l'extérieur un style Art déco classique des années 1930, tandis que le style Tudor du XVIe siècle de l'intérieur lui confère une atmosphère beaucoup plus anglaise qui sied parfaitement à la nature des lieux.

En sortant de la Folger Shakespeare Library, descendez vers le sud en empruntant Third Street.

Eastern Market.

Capitol Hill

activité. C'est un des endroits les plus prisés des habitants de Capitol Hill pour s'approvisionner en fruits et légumes, viandes, poissons et pains frais. Les fins de semaine, des agriculteurs des environs viennent y vendre leurs produits sous le toit en fonte rattaché au bâtiment le long de Seventh Street. Le dimanche, des brocanteurs viennent se joindre à toute cette agitation.

Tournez à droite dans C Street pour vous rendre au Seward Square, puis à gauche pour descendre Sixth Street vers le sud. Quatre rues plus loin, vous verrez dans G Street la Christ Church on Capitol Hill

St. Mark's Episcopal Church
[14]
301 A St. SE., www.stmarks.net
Église paroissiale en 1869, la St. Mark's Episcopal Church devint, de 1896 à 1902, la cathédrale épiscopale du diocèse de Washington. Les grands vitraux de sa façade proviennent des ateliers de Louis Comfort Tiffany.

Remontez vers l'est A Street, puis tournez à droite dans Seventh Street pour descendre encore un peu plus au sud. Deux rues plus loin, vous trouverez l'Eastern Market.

Eastern Market ★ [15]
mar-ven 7h à 19h, sam 7h à 18h, dim 9h à 17h;
225 Seventh St. SE., 202-698-5253,
www.easternmarket-dc.org
L'Eastern Market, un marché construit en 1873, est toujours en

Christ Church on Capitol Hill
[16]
620 G St. SE, 202-547-2098,
www.washingtonparish.org
La Christ Church on Capitol Hill est une charmante petite église qui fut fréquentée par quelques hommes de renom, tels les présidents James Monroe, John Quincy Adams et Thomas Jefferson. Les travaux de construction débutèrent en 1805 et se prolongèrent jusqu'en 1891. Cette église constitue l'un des premiers édifices d'inspiration gothique de la région, mais aussi l'un des plus réussis.

Poursuivez dans G Street vers l'est, tournez à gauche dans Eighth Street SE, puis à droite dans North Carolina Avenue SE.

Lincoln Park [17]

Il est tout à fait plaisant de se prélasser dans le Lincoln Park. Une statue commémorative, qui aurait été entièrement payée par d'anciens esclaves noirs, y a été érigée en l'honneur du président Abraham Lincoln. Vous y verrez également la seule statue commémorative de la ville de Washington dédiée à une femme noire, Mary McLeod Bethune, fondatrice du National Council of Negro Women (Conseil national des femmes afro-américaines).

Restos et cafés

(voir carte p. 31)

Mr Henry's Victorian Pub $-$$ [20]

601 Pennsylvania Ave. SE, 202-546-8412, www.mrhenrysrestaurant.com

Mr Henry's ne paie pas vraiment de mine au premier abord. Dans cet établissement décoré à la manière d'un pub victorien avec de vieilles illustrations tapissant les murs, il fait plutôt sombre. Malgré tout, les divers hamburgers, salades et sandwichs sont tout à fait appétissants, et le service est empressé.

The Atlas Room $$-$$$ [21]

1015 H St. NE, 202-388-4020, www.theatlasroom.com

Une dizaine de tables, un menu concis affichant de savoureux mets inspirés d'un peu partout dans le monde et un service chaleureux, voilà ce qui vous attend à l'Atlas Room.

Ambar $$$ [18]

23 Eighth St. SE, 202-813-3039, www.ambarrestaurant.com

Ambar sert une fine cuisine des Balkans sous forme de petites portions, ce qui permet de varier le plaisir. La présentation des plats est soignée et le service efficace. Les desserts sont à souligner.

Bistro Bis $$$-$$$$ [19]

Hotel George, 15 E St. NW, 202-661-2700, www.bistrobis.com

Logé dans le magnifique **Hotel George** (voir p. 138), le Bistro Bis est un véritable petit délice, tant pour la vue que pour les papilles. Les plus fins gourmets pourront y apprécier une cuisine française moderne avec quelques influences américaines. La décoration du restaurant, très design, est un mélange de bois, de verre et de zinc, pour un résultat chaleureux et sophistiqué des plus réussis.

Bars et boîtes de nuit

(voir carte p. 31)

Little Miss Whiskey's Golden Dollar [22]

1104 H St. NE, www.littlemisswhiskeys.com

Dans un fabuleux décor rétro, chargé et sombre, Little Miss Whiskey's Golden Dollar offre une belle sélec-

Capitol Hill

Union Station.

tion de bières que vous devrez payer comptant.

The Dubliner [23]
Phoenix Park Hotel, 4 F St. NW, 202-737-3773, www.dublinerdc.com

Le Dubliner est un pub irlandais réputé à Washington. Il est de mise, bien sûr, d'y commander une Guinness! Il est également possible d'y prendre de petits repas, mais c'est surtout pour son ambiance, sa bière et ses concerts de musique traditionnelle irlandaise que les habitués aiment s'y retrouver.

Lèche-vitrine

(voir carte p. 31)

Alimentation

The Sweet Lobby [25]
404 Eighth St. SE, 202-544-2404, www.sweetlobby.com

Il vous sera difficile de faire votre choix parmi la sélection de desserts du Sweet Lobby, tous plus décadents les uns que les autres.

Centre commercial

Union Station [24]
50 Massachusetts Ave. NE, www.unionstationdc.com

La magnifique **Union Station** (voir p. 34) abrite plusieurs boutiques intéressantes, entre autres Godiva Chocolatier, H&M, L'Occitane et Victoria's Secret.

Cadeaux et souvenirs

America! [24]
Union Station, 50 Massachusetts Ave. NE, 202-842-0540

Cette boutique vous donnera le tournis tant on y voit de produits à l'effigie du drapeau américain.

2 ↘

Le centre-ville

À voir, à faire

(voir carte p. 41)

Selon les plans de Pierre Charles L'Enfant, une artère principale devait relier le Capitole, siège des assemblées, à la résidence présidentielle, la Maison-Blanche. C'est ainsi que fut tracée l'avenue Pennsylvania. Les quartiers qu'elle traverse constituèrent pendant longtemps le cœur commercial de Washington. Grands magasins, théâtres, hôtels de luxe, bâtiments administratifs et maisons bourgeoises s'y côtoyèrent harmonieusement. Mais après la Seconde Guerre mondiale, l'activité économique des commerces situés dans ces quartiers périclita de façon drastique. L'avenue Pennsylvania perdit de sa superbe, et les rues avoisinantes furent quelque peu laissées à l'abandon. C'est à John F.

Kennedy (1917-1963), 35e président des États-Unis, que l'on doit la formidable restauration de ces quartiers.

Les années de misère du centre-ville n'en étaient pas pour autant terminées. En effet, les violentes émeutes qui s'y déroulèrent en 1968, à la suite de l'assassinat de Martin Luther King, ébranlèrent sérieusement la capitale. Elles eurent pour fâcheuse conséquence de vider le centre-ville d'une bonne partie de ses commerces et de ses entreprises, qui choisirent de s'installer au nord de la Maison-Blanche. Aujourd'hui, Pennsylvania Avenue et le **centre-ville** ★★ ont retrouvé leur éclat d'antan, accueillant, en plus des bâtiments gouvernementaux d'architecture imposante, de nombreux immeubles de bureaux et une foule d'hôtels, de restaurants et de petits commerces.

Le centre-ville

À voir, à faire ★

1. CX National Building Museum
2. BW Chinatown Friendship Archway
3. BX Donald W. Reynolds Center for American Art and Portraiture
4. BX International Spy Museum
5. BX National Museum of Crime & Punishment
6. BX Madame Tussauds
7. AX Church of the Epiphany
8. AX Colorado Building
9. AW National Museum of Women in the Arts
10. BW Carnegie Library
11. BX Ford's Theatre/Ford's Theatre Museum
12. BX Petersen House
13. BY Pennsylvania Avenue
14. AY Old Post Office Pavilion/Clock Tower
15. AX Freedom Plaza
16. AX John A. Wilson Building
17. BX J. Edgar Hoover Building
18. BY National Archives and Records Administration
19. CY Newseum
20. CY Ambassade du Canada
21. CY H. Carl Moultrie Courthouse/ Superior Court of the District of Columbia

Cafés et restos ●

22. AW 14K Restaurant
23. BY 701
24. AX Avenue Grill
25. AX Co Co. Sala
26. BV Corduroy
27. CX Daikaya
28. AW DC Coast
29. BX Jaleo
30. BX Pitango Gelato
31. BX Poste Moderne Brasserie
32. BX Rasika
33. BX Shake Shack
34. CY The Source
35. CW Tony Cheng Seafood Restaurant/ Tony Cheng's Mongolian Barbecue
36. BW Zaytinya

Bars et boîtes de nuit ♪

37. BX Barmini
38. AW Capitol City Brewing Company
39. BX District ChopHouse and Brewery
40. BW Grand Slam
41. BX Penn Social
42. AX Shelly's Back Room

Salles de spectacle ◆

43. BX Ford's Theatre
44. BX Lansburgh Theatre
45. AY The Capitol Steps
46. AX The National Theatre
47. BX Verizon Center
48. AX Warner Theatre
49. BX Wooly Mammoth Theatre Co.

Lèche-vitrine ■

50. BX Peruvian Connection
51. AX The Shops at National Place

Hébergement ▲

52. BW Grand Hyatt Washington
53. AW Hamilton Crowne Plaza Washington, DC
54. AW Hilton Garden Inn Washington DC Downtown
55. BX Hotel Monaco
56. AX JW Marriott Hotel Washington, DC

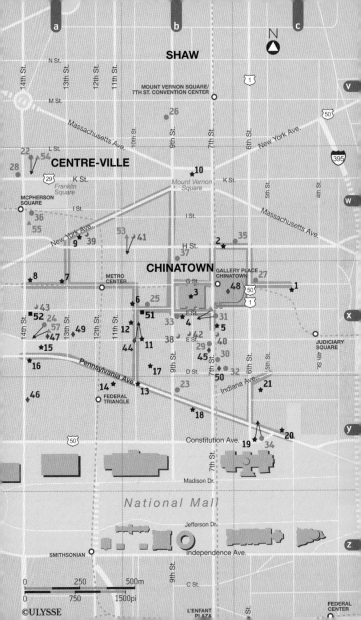

1. National Building Museum.
2. Luce Foundation Center for American Art.

National Building Museum ★ [1]

entrée libre, 8$ pour les expositions; lun-sam 10h à 17h, dim 11h à 17h; 401 F St. NW, angle Fourth St., métro Judiciary Square, 202-272-2448, www.nbm.org

Les plans du National Building Museum, aussi appelé **The Pension Building**, qui occupe à lui seul tout un quadrilatère, s'inspirèrent très librement de l'architecture Renaissance du palais Farnèse de Rome, que l'on doit en partie à Michel-Ange. Copier un tel chef-d'œuvre n'est pas chose aisée, et il fallut pas moins de 15,5 millions de briques rouges pour achever la construction de ce monumental édifice, une des plus belles réussites du quartier. Un certain nombre d'expositions est présenté en ces lieux, qui en plus abritent un musée consacré à l'architecture américaine, un centre de recherche, des bureaux, une bibliothèque et des salles de conférences.

En sortant du National Building Museum, tournez à gauche dans G Street, puis à droite dans Sixth Street et à gauche dans H Street.

Chinatown Friendship Archway [2]

angle Seventh St. et H St., métro Judiciary Square

La Chinatown Friendship Archway marque l'entrée du tout petit quartier chinois (Chinatown). Cette porte chinoise à travée unique est la plus grande au monde. Elle fut donnée à la Ville de Washington par la Ville de Beijing lors du jumelage de ces deux capitales. Haute de 15 m et large de 19 m, cette arche délica-

tement sculptée rappelle l'époque de la dynastie Qing.

Tournez à gauche dans Seventh Street, puis à droite dans G Street.

Donald W. Reynolds Center for American Art and Portraiture ★★ [3]

entrée libre; tlj 11h30 à 19h; angle Eighth St. et F St. NW, métro Gallery Place

Réunis sous l'appellation du Donald W. Reynolds Center for American Art and Portraiture, la **National Portrait Gallery ★★** *(202-633-8300, www.npg.si.edu)* et le **Smithsonian American Art Museum ★★** *(202-633-1000, www.americanart.si.edu)* sont aménagés dans un monument d'inspiration grecque dans une ville où l'architecture romaine s'affiche parfois à l'excès. L'Enfant destinait cet emplacement à un «sanctuaire consacré aux héros américains». Bien que les vœux de L'Enfant n'aient jamais été réalisés, on peut néanmoins constater qu'aujourd'hui la «galerie nationale des portraits» joue en quelque sorte ce rôle de mausolée. Le musée d'art américain, quant à lui, couvre toutes les régions du pays et tous les mouvements artistiques qui ont été créés aux États-Unis. Il comprend entre autres le **Luce Foundation Center for American Art ★**, qui expose dans ses vitrines et autres présentoirs quelque 3 500 peintures, sculptures, miniatures, objets artisanaux et populaires. Le bâtiment abrite une magnifique cour intérieure sous un toit en verrière.

Tournez à gauche dans Ninth Street et encore à gauche dans F Street.

Explorer Washington

International Spy Museum [4]

adultes 21$, enfants 15$; tlj heures variables;
800 F St., 202-393-7798, www.spymuseum.org

L'International Spy Museum célèbre le travail des soldats de l'ombre, espions et autres agents secrets. Plus de 200 objets utilisés dans le domaine de l'espionnage y sont présentés : parapluie bulgare, rouge à lèvres-pistolet, encodeuse Enigma, rien ne manque pour parfaire vos connaissances de l'histoire militaire et géopolitique. Une expérience immersive permet de se mettre dans la peau d'un espion (12 ans et plus).

Continuez dans F Street et tournez à droite dans Seventh Street.

National Museum of Crime & Punishment ★★ [5]

22$; fin août à mi-mars dim-jeu 10h à 19h, ven-sam 10h à 20h, mi-mars à fin août lun-jeu 9h à 19h, ven-sam 9h à 20h, dim 10h à 19h;
575 Seventh St. NW, 202-393-1099, www.crimemuseum.org

Si les cowboys, les pirates, les bandits et autres méchants vous intéressent, vous serez captivé par le National Museum of Crime & Punishment. Dès le début de la visite, on met la table en présentant différents objets de torture utilisés au Moyen Âge. Par la suite, Billy the Kid, la gang des Dalton, Barbe Noire, Bonny & Clyde, Al Capone et divers tueurs en série prennent le relais. Une section appelée CSI (d'après la populaire télésérie américaine *CSI : Crime Scene Investigation*) présente le métier d'anthropologue judi-ciaire. Vous pourrez même tester vos connaissances et habiletés en la matière grâce à de nombreux jeux interactifs. Les amateurs du genre seront comblés.

Revenez sur vos pas jusqu'à F Street et tournez à droite dans 10th Street.

Madame Tussaud [6]

adultes 21,50$, enfants 17$; tlj heures variables; 1001 F St. NW, www.madametussauds.com

Le musée de Madame Tussauds propose des modèles en cire de personnalités connues, entre autres les 43 présidents des États-Unis.

Marchez jusqu'à G Street et tournez à gauche.

Church of the Epiphany [7]

1317 G St. NW, métro Federal Triangle, 202-347-2635, www.epiphanydc.org

D'inspiration gothique, la sobre façade de la Church of the Epiphany a été recouverte de stuc blanc. Le chœur surélevé abrite de magnifiques orgues, particulièrement appréciées des musiciens qui viennent de temps à autre donner des concerts.

Colorado Building [8]

1341 G St. NW, métro Federal Triangle

Le Colorado Building étonne par l'exubérance de sa décoration extérieure. Au milieu de frises et de sculptures en tous genres, des statues d'aigles et de lions semblent y monter la garde. Le hall d'entrée présente un dallage de marbre à

National Museum of Crime & Punishment.

motifs imbriqués, tandis que son plafond se pare de dorures.

Revenez sur vos pas jusqu'à 13th Street, que vous prendrez à gauche. Tournez à droite dans New York Avenue.

National Museum of Women in the Arts ★ [9]
10$; lun-sam 10h à 17h, dim 12h à 17h; 1250 New York Ave. NW, angle 13th St., métro Metro Center, 202-783-5000, www.nmwa.org

Le National Museum of Women in the Arts est uniquement consacré aux œuvres artistiques de femmes. Un couple philanthrope, Wilhelmina et Wallace Holladay, fonda ce musée en 1987 et lui légua sa collection d'environ 200 œuvres. Ce sont aujourd'hui quelque 4 500 pièces, s'échelonnant du XVIe siècle jusqu'à nos jours, qui y sont expo-

sées, entre autres de Frida Kahlo et de Camille Claudel.

Carnegie Library [10]
Mount Vernon Square, angle Eighth St. et K St. NW, métro Metro Center, www.dclibrary.org

Plus à l'est, New York Avenue débouche sur une petite place appelée **Mount Vernon Square**. Là se dresse la Carnegie Library, un imposant édifice en marbre de style Beaux-Arts qui fut donné par Andrew Carnegie afin de servir de bibliothèque principale pour le district. Telle fut la vocation de ce bâtiment de 1902 jusqu'à la fin des années 1960. Aujourd'hui, il abrite un centre d'exposition *(lun, mer et jeu 10h à 16h)*.

Empruntez Ninth Street NW vers le sud jusqu'à F Street, que vous prendrez à droite. Tournez ensuite à gauche dans 10th Street.

J. Edgar Hoover Building.

Ford's Theatre [11]

entrée libre, visite guidée avec audioguide 10$, ou sans 3$; 511 10th St. NW, métro Center, 202-347-4833, www.fordstheatre.org

Le 14 avril 1865, le deuxième président américain, Abraham Lincoln, est assassiné dans la salle du Ford's Theatre alors qu'il assiste à une pièce de théâtre. Forcé de fermer son établissement après l'assassinat de Lincoln, le propriétaire du théâtre vendit l'immeuble au gouvernement en 1866, mais celui-ci le laissa à l'abandon durant de nombreuses années. Aujourd'hui, le Ford's Theatre a retrouvé son éclat d'antan et sa vocation initiale de scène pour les arts et spectacles. On peut encore y voir la fameuse loge présidentielle, qui a été restaurée telle qu'elle se présentait le jour du drame. Le théâtre abrite le Ford's Theatre Museum, consacré au défunt président.

Petersen House [12]

visite guidée incluse dans le prix d'entrée du Ford's Theatre; tlj 9h30 à 17h30; 516 10th St. NW, en face du Ford's Theatre, métro Center, 202-426-6924

C'est à la Petersen House voisine que le corps ensanglanté de Lincoln fut déposé. Lincoln était si grand qu'il fallut d'ailleurs l'installer en diagonale dans le lit. La blessure, particulièrement grave, rendait inutile toute intervention des médecins, et le président s'éteignit au petit matin. On peut aujourd'hui visiter cette chambre décorée de meubles de style victorien.

*Poursuivez vers le sud par 10th Street et tournez à droite dans **Pennsylvania Avenue ★** [13]. Pendant de nombreuses années,* cette artère fut considérée comme l'«America's Main Street», la rue principale de l'Amérique.

Old Post Office Pavilion [14]

début sept à début mai lun-sam 10h à 20h, dim 12h à 18h30, début mai à début sept lun-sam 9h à 16h45, dim 12h à 17h45; 1100 Pennsylvania Ave., angle 12th St. NW, métro Federal Triangle, www.oldpostofficedc.com

L'architecture de l'Old Post Office Pavilion change de l'austérité néoclassique des immeubles qui forment le Federal Triangle, ce vaste complexe administratif composé de sept grands bâtiments de style néoclassique et ayant l'aspect d'un triangle. Sa façade de granit un peu massive, genre forteresse, et son imposante tour qui dépasse en hauteur les bâtiments voisins cachent un vaste atrium éclairé par une immense verrière.

Des ascenseurs panoramiques permettent de monter au sommet de la **Clock Tower** [14] *(entrée libre; début sept à début mai lun-sam 9h à 16h45, dim 12h à 17h45, début mai à début sept lun-sam 9h à 19h45, dim 12h à 17h45)*, d'où l'on peut jouir d'une vue sur les environs. Au moment de mettre sous presse, on annonçait pour 2015 la conversion de l'édifice en un luxueux hôtel.

Freedom Plaza [15]

Pennsylvania Ave. entre 11th St. et 14th St. NW, métro Federal Triangle

Parmi les places publiques de Washington, la Freedom Plaza est sûrement l'une de celles qui s'ouvrent sur la plus intéressante perspective, dans l'axe de la Maison-Blanche et du Capitole. Quelques arbres et jardins entourent une large terrasse de dalles noires et blanches, sur laquelle a été gravée une reproduction grand format des plans de la ville de Washington dessinés par L'Enfant. De part et d'autre de la place ont été érigées une fontaine et une statue équestre du général Pulaski.

John A. Wilson Building [16]

1350 Pennsylvania Ave. NW, angle 14th St., métro Federal Triangle

Juste en face de la Freedom Plaza s'élève un pompeux bâtiment bordé de colonnes corinthiennes et, sur la corniche de l'étage supérieur, de plusieurs statues. Il s'agit du John A. Wilson Building, qui fut conçu en 1904. La structure de l'édifice est de granit, mais recouverte de plaques de marbre.

Faites demi-tour et prenez Pennsylvania Avenue vers l'est.

J. Edgar Hoover Building ★ [17]

on ne visite pas; 935 Pennsylvania Ave. NW, entre Ninth St. et 10th St. NW, métro Federal Triangle, 202-324-3000

Le J. Edgar Hoover Building, un bâtiment massif et austère, est le siège du célèbre FBI ou Federal Bureau of Investigation. C'est essentiellement sous l'impulsion de son redoutable directeur, J. Edgar Hoover (célèbre pour avoir rassemblé des dossiers compromettants sur tous les hommes publics américains),

1. Ambassade du Canada.
2. Newseum.

qui resta à la tête du FBI de 1924 à 1972, que cette police fédérale devint l'autorité suprême contre le crime à travers tous les États-Unis. Ses exploits contre le gangstérisme sont désormais célèbres.

National Archives and Records Administration ★ [18]
entrée libre; tlj 10h à 17h30; 700 Pennsylvania Ave. NW, entre Seventh St. et Ninth St. NW, métro Archives ou Navy Memorial, 202-357-5000 ou 866-325-7208, www.archives.gov

De tous les immeubles qui forment le Federal Triangle, la National Archives and Records Administration est sans aucun doute le plus réussi. Les façades de l'édifice, construit comme un véritable mausolée, sont ornées de colonnes corinthiennes qui supportent, en son centre, un remarquable portique d'entrée surmonté d'un élégant fronton. On y préserve, en plus des textes originaux à la base de la formation des États-Unis, des lettres, manuscrits, cartes, photos, journaux, films, partitions et enregistrements en tous genres produits par le gouvernement et des citoyens américains de renom.

Newseum ★★ [19]
22$; tlj 9h à 17h; 555 Pennsylvania Ave. NW, métro Judiciary Square, www.newseum.org

Grand édifice ultramoderne, le Newseum affiche tous les jours devant sa façade les unes de quelque 80 quotidiens en provenance de partout à travers le monde. Dédié au monde de l'information et au journalisme, ce «musée des nouvelles» interactif, qui compte 15 salles de projection et autant de galeries d'exposition, présente de nombreux documents, photos et vidéos rela-

tant l'histoire des médias depuis l'invention de l'imprimerie.

Ambassade du Canada [20]
501 Pennsylvania Ave. NW, métro Judiciary Square

Magnifiquement située, l'ambassade du Canada, un bâtiment de marbre blanc dessiné par l'architecte canadien Arthur Erickson, marie néoclassicisme et modernisme. Vous pourrez notamment y admirer la belle «Rotonde des Provinces», supportée par 12 colonnes de marbre, une pour chacun des territoires et des provinces canadiennes (bien que, depuis la contruction de cette ambassade, le Canada compte aujourd'hui un territoire de plus, le Nunavut).

Revenez quelque peu sur vos pas pour emprunter Sixth Street vers le nord jusqu'à la rue Indiana, que vous prendrez à droite.

H. Carl Moultrie Courthouse [21]
500 Indiana Ave. NW, angle D St., métro Judiciary Square

La H. Carl Moultrie Courthouse abrite la **Superior Court of the District of Columbia** [21]. La partie centrale du bâtiment se compose d'un temple grec avec 12 colonnes ioniques. À mesure que l'administration municipale grandissait, le bâtiment fut élargi à plusieurs reprises jusqu'en 1916.

Cafés et restos
(voir carte p. 41)

Pitango Gelato $ [30]
413 Seventh St. NW, 202-885-9607, www.pitangogelato.com

Lors des chaudes journées, il devient impératif de faire un arrêt chez Pitango Gelato pour savourer l'un de

Shake Shack.

ses *gelati*, dont plusieurs parfums sont originaux, entre autres ceux au thé noir et à la cardamome.

Shake Shack *$* [33]
800 F St. NW, 202-800-9930,
www.shakeshack.com

Ce populaire restaurant new-yorkais s'est établi à Washington il y a de cela quelques années. Depuis, l'endroit ne désemplit pas. On y sert les mêmes bons hamburgers qu'on peut accompagner d'un *milk shake* (lait fouetté). Autre adresse à Dupont Circle *(1216 18th St. NW)*.

Co Co. Sala *$-$$* [25]
929 F St. NW, 202-347-4265,
www.cocosala.com

Si vous raffolez du chocolat, ne manquez pas de vous arrêter chez Co Co. Sala, ne serait-ce que pour un décadent gâteau truffé ou un délicieux chocolat chaud (particu-lièrement celui au caramel salé). Des plats plus élaborés, auxquels on a ajouté une touche chocolatée (par exemple un *crabcake* servi avec une sauce aux piments *chipotle*, aux tomates et au chocolat), sont aussi proposés.

Daikaya *$-$$* [27]
705 Sixth St. NW, 202-589-1600,
www.daikaya.com

Daikaya plaira aux amateurs de cui-sine nippone. Au rez-de-chaussée (aucune réservation possible), on sert d'excellentes soupes *ramen* dans un joli décor tout en bois, alors qu'à l'*izakaya* situé à l'étage (réser-vations recommandées), on propose de délicieuses petites bouchées (les huîtres et les sashimis sont particu-lièrement réussis) que vous pourrez accompagner de saké ou de whisky japonais. Service efficace.

Poste Moderne Brasserie *$$*
[31]
555 Eighth St. NW, 202-783-6060,
www.postebrasserie.com

Logée dans le superbe édifice de l'ancien bureau de poste qui abrite également l'**Hotel Monaco** (voir p. 140), la Poste Moderne Brasserie présente un menu fidèle à ce genre d'établissement (moules, bœuf bourguignon, soupe à l'oignon, salade niçoise...). Nous vous conseillons surtout de vous y rendre pour le brunch les fins de semaine. Les œufs bénédictine sont excellents, et ne manquez pas de goûter aux «Award Winning Duck Fat Doughnuts», des beignes cuits dans le gras de canard auxquels on ajoute un glaçage à l'érable et au bourbon. Agréable terrasse.

Tony Cheng's Mongolian Barbecue *$$* [35]
619 H St. NW, 202-842-8669

Le Mongolian Barbecue occupe tout le rez-de-chaussée d'un vaste bâtiment du Chinatown. Vous pouvez vous servir au buffet de salades ou goûter les viandes et les légumes cuits sur le gril. Le rapport qualité/prix est tout à fait convenable.

Avenue Grill *$$-$$$* [24]
JW Marriott Washington D.C., 1331 Pennsylvania Ave. NW, 202-626-6970

Donnant sur la galerie marchande de l'hôtel Marriott, l'Avenue Grill, un restaurant au bel intérieur design où le bois prédomine, propose un buffet de mets variés. L'adresse est idéale pour prendre un repas rapide avant d'assister à une représentation au National Theatre, situé juste à côté.

DC Coast *$$-$$$* [28]
1401 K St. NW, 202-216-5988,
www.dccoast.com

Le restaurant DC Coast concocte une cuisine américaine moderne où les produits de la mer sont à l'honneur. Belle sélection de vodkas.

Tony Cheng Seafood Restaurant *$$-$$$* [35]
619 H St. NW, 202-371-8669

Dans le même bâtiment que le **Tony Cheng's Mongolian Barbecue** (voir plus haut), mais cette fois-ci à l'étage, on trouve le Tony Cheng Seafood Restaurant, un établissement populaire pour sa cuisine chinoise. Outre les fruits de mer, le chef prépare des plats de bœuf, de porc, de poulet ou de nouilles chinoises.

The Source *$$-$$$$* [34]
575 Pennsylvania Ave. NW, 202-637-6100,
www.wolfgangpuck.com

Logé dans le **Newseum** (voir p. 48), ce restaurant au décor épuré et lumineux propose, sur deux étages, une cuisine créative d'inspiration asiatique. Le menu du premier étage, plus convivial, affiche des sushis, des nouilles et de petites bouchées, tels ces délicieux *buns* au porc. Le deuxième étage, quant à lui, est plus formel et propose des mets plus élaborés et très bien exécutés. Vaste sélection de vins.

Le centre-ville

Jaleo.

Le centre-ville

Jaleo $$$ [29]
480 Seventh St. NW, 202-628-7949,
www.jaleo.com

Ce restaurant géré par José Andrés (voir « Zaytinya » ci-dessous) concocte une cuisine espagnole présentée sous forme de tapas. Jambon ibérique, pieuvre, fromage *manchego* et paella ne sont que quelques-uns des classiques du pays de Don Quichotte que vous pourrez déguster.

14K Restaurant $$$ [22]
Hamilton Crowne Plaza Washington, DC,
angle 14th St. et K St. NW, 202-218-7575,
www.14krestaurant.com

À l'intérieur du Hamilton Crowne Plaza, le restaurant 14K Restaurant offre une atmosphère un peu chic et guindée. Le menu affiche une cuisine variée où se côtoient steaks, hamburgers, saumon et fruits de mer. Terrasse.

701 $$$ [23]
701 Pennsylvania Ave. NW, 202-393-0701
http://701restaurant.com

Le restaurant 701 se veut un établissement chic où l'on exige une tenue correcte. L'endroit sert aussi bien des pâtes et des sandwichs que de délicieux poissons bien apprêtés. Le service un peu prétentieux surprend à bien des égards compte tenu de la cuisine qu'on y élabore. Terrasse agréable.

Zaytinya $$$ [36]
701 Ninth St. NW, 202-638-0800,
www.zaytinya.com

Sous la houlette de José Andrés, populaire chef espagnol (on raconte qu'il serait à l'origine de l'arrivée des tapas en Amérique du Nord) ayant de nombreux restaurants à Las Vegas, Los Angeles et Miami, Zaytinya propose de savoureux petits plats mettant en valeur les cuisines grecque, turque et libanaise. Le menu dégustation permet de belles découvertes. Bonne sélection de vins grecs. Les réservations sont recommandées. Jolie terrasse.

⬤ Rasika $$$-$$$$ [32]
633 D St. NW, 202-637-1222,
www.rasikarestaurant.com

Le menu du Rasika présente une excellente cuisine indienne à laquelle on a ajouté, ici et là, quelques touches originales, comme le pain *naan* à l'huile d'olive et au piment chili. Le décor est moderne et de bon goût. Réservations recommandées.

⬤ Corduroy $$$$ [26]
1122 Ninth St. NW, 202-589-0699,
www.corduroydc.com

Ne vous laissez pas rebuter par les édifices mal entretenus ou abandonnés qui avoisinent le Corduroy, car lorsque vous goûterez à sa cuisine créative (blinis aux champignons, bœuf wagyu, antilope...), vous oublierez tout. N'hésitez pas à choisir le menu dégustation, qui offre une réelle expérience gustative. Réservations recommandées.

Rasika.

Bars et boîtes de nuit

(voir carte p. 41)

Barmini [37]
855 E St. NW, 202-393-4451,
www.minibarbyjoseandres.com

Choisissez parmi quelque 130 cocktails ou laissez vous surprendre par les suggestions des mixologues du Barmini. Décor moderne et branché.

Capitol City Brewing Company [38]
1100 New York Ave. NE, 202-6282-2222

Non loin du National Postal Museum se trouve le Capitol City, qui brasse ses propres bières. Pour accompagner votre boisson, on prépare aussi des salades, des sandwichs et des steaks.

District ChopHouse and Brewery [39]
509 Seventh St. NW, 202-347-3434,
www.chophouse.com

Si vous cherchez une brasserie pour prendre un repas minute ou pour déguster une bonne bière dans une ambiance agréable, vous trouverez à la District ChopHouse and Brewery une atmosphère chaleureuse et toute une variété de bières brassées sur place.

Ford's Theatre.

Grand Slam [40]
Grand Hyatt Washington, 1000 H St. NW, 202-582-1234, www.grandwashington.hyatt.com
Les fervents supporters de l'équipe de football américain des Washington Redskins apprécient le Grand Slam du Grand Hyatt Washington, un bar où sont projetés les matchs sur des écrans géants.

Penn Social [41]
801 E St. NW, 202-697-4900, www.pennsocialdc.com

Deux étages, dans lesquels se trouvent trois bars, une terrasse, deux scènes, des téléviseurs, de nombreux jeux et de la bière… Il y en a vraiment pour tous les goûts au Penn Social.

Shelly's Back Room [42]
1331 F St. NW, 202-737-3003, www.shellysbackroom.com

La décoration du Shelly's Back Room fait penser à un chalet de campagne. On vient y prendre un verre et un léger repas, puis fumer un bon cigare dans l'arrière-salle. L'endroit revêt une allure conviviale des plus agréables.

Salles de spectacle
(voir carte p. 41)

Ford's Theatre [43]
511 10th St. NW, 202-347-4833, www.fordstheatre.org

L'historique **Ford's Theatre** (voir p. 46) présente une bonne sélection de pièces dramatiques ainsi que des productions musicales.

Lansburgh Theatre [44]
450 Seventh St. NW, 202-547-1122 ou 877-487-8849, www.shakespearetheatre.org

Dans une ville où l'on trouve une bibliothèque dédiée exclusivement à William Shakespeare (voir la **Folger Shakespeare Library**, p. 35), il aurait été étonnant de ne pas pouvoir compter sur une compagnie professionnelle pour monter les plus belles pièces du célèbre dramaturge anglais. Ainsi, au petit Lansburgh Theatre, l'excellente troupe d'acteurs de la Shakespeare Theatre Company joue-t-elle le répertoire classique de cet auteur universel.

The Capitol Steps [45]
ven-sam soir; Ronald Reagan Building, 1300 Pennsylvania Ave, 202-397-7318, www.capsteps.com

Le Capitol Steps accueille depuis de nombreuses années une troupe de comédiens que les Américains ont, à plusieurs reprises, pu voir sur les principales chaînes de télévision. Thème : la politique dans tous ses états !

The National Theatre [46]
1321 Pennsylvania Ave. NW, 202-628-6161, www.nationaltheatre.org

Le National Theatre met à l'affiche de grandes œuvres que l'on retrouvera par la suite à Broadway ou sur une autre scène majeure américaine.

Verizon Center [47]
601 F St. NW, 202-328-3200, http://verizoncenter.monumentalnetwork.com

En plus d'accueillir les matchs de basketball et de hockey des équipes professionnelles locales, le Verizon Center présente des concerts de musique populaire.

Warner Theatre [48]
513 13th St. NW, 202-628-1818, www.warnertheatredc.com

Un des plus beaux théâtres de la ville, le Warner Theatre présente des productions de Broadway, des comédies, des concerts ainsi que des spectacles de danse classique et moderne.

Wooly Mammoth Theatre Co. [49]
641 D St. NW, 202-289-2443, www.woollymammoth.net

Cette compagnie théâtrale encourage largement la production de nouvelles pièces écrites par de jeunes dramaturges locaux.

Lèche-vitrine
(voir carte p. 41)

Centre commercial

The Shops at National Place [51]
529 14th St. NW, 202-662-1250

The Shops at National Place est un centre commercial qui s'étend sur trois étages. On y dénombre quelque 75 magasins et restaurants. Ce centre est directement relié à l'hôtel **JW Marriott** (voir p. 140).

Vêtements

Peruvian Connection [50]
950 F St. NW, bureau 102, 202-737-4405, www.peruvianconnection.com

Située à quelques pas du Ford's Theatre, la boutique Peruvian Connection vend de beaux vêtements originaux à prix d'or.

La Maison-Blanche et ses environs

3 ↘

La Maison-Blanche et ses environs

À voir, à faire

(voir carte p. 59)

Il est des plus agréable de se balader dans le quartier de la **Maison-Blanche et ses environs ★★★**. La demeure présidentielle, communément appelée White House, est bordée au nord par un parc baptisé en l'honneur du marquis de La Fayette (1757-1834), général français devenu un héros de la guerre de l'Indépendance américaine.

À l'ouest de la Maison-Blanche, à l'angle de Pennsylvania Avenue et de 17th Street, s'élève un imposant édifice de granit de style Second Empire construit entre 1871 et 1888, l'Eisenhower Executive Office Building. Autrefois siège du ministère des Affaires étrangères, il est devenu le bâtiment où travaillent les col-laborateurs de la Maison-Blanche. Le long de 17th Street, en bordure de la Maison-Blanche, se trouvent d'élégants bâtiments tels que ceux abritant la Corcoran Gallery of Art, le siège de l'American National Red Cross (Croix-Rouge américaine), le Daughters of the American Revolution et l'Organization of American States.

White House ★★★ [1]

visite sur réservation auprès de votre ambassade; 1600 Pennsylvania Ave. NW, métro McPherson Square ou Metro Center, 202-456-2121, www.whitehouse.gov
Construit à la fin du XVIIIe siècle, l'élégant manoir de style georgien du 1600 Pennsylvania Avenue, recouvert de chaux blanche, est sans conteste le symbole de la puissance américaine le plus reconnu à l'échelle internationale. L'architecte

White House.

La Maison-Blanche et ses environs

Pierre Charles L'Enfant avait imaginé qu'une structure architecturale imposante, digne des palais royaux européens, abriterait la résidence des présidents américains. George Washington en avait indiqué l'emplacement dans la ville, afin que les sièges des institutions exécutives (la Maison-Blanche) et législative (le Capitole) soient directement reliés par la perspective ouverte de Pennsylvania Avenue. Malheureusement, on érigea par la suite, à l'est de la Maison-Blanche, un imposant bâtiment de style néoclassique, le Treasury Building, dont l'ampleur brisa la belle perspective entre la demeure présidentielle et le Capitole. Le major L'Enfant limogé, ses projets grandioses furent abandonnés au profit d'une construction plus modeste, mais néanmoins fort élégante.

Depuis plus de 200 ans, la Maison-Blanche a accueilli tous les présidents américains et leur famille, qui ont apporté respectivement leur touche personnelle à l'embellissement de l'édifice. Pour visiter la Maison-Blanche, vous devrez faire la demande au moins trois semaines à l'avance auprès de votre ambassade à Washington. Au moment d'aller sous presse toutefois, ces visites ne sont pas possibles.

Empruntez l'Executive Avenue NW vers le nord jusqu'à H Street, que vous prendrez à droite.

Lafayette Square [2]
entre Pennsylvania Ave. et H St., métro Metro Center

En face de l'entrée principale de la Maison-Blanche a été joliment aménagé un petit jardin public qui

La Maison-Blanche et ses environs

À voir, à faire ★

1.	CW	White House
2.	CW	Lafayette Square
3.	CW	St. John's Church
4.	CW	Folger Building
5.	CW	Treasury Building
6.	CW	SunTrust Bank Building
7.	CX	Hotel Washington
8.	CX	Pershing Park
9.	CW	Willard InterContinental Washington
10.	CX	Ellipse
11.	CX	Zero Milestone
12.	BX	Corcoran Gallery of Art
13.	BX	American National Red Cross
14.	BX	Daughters of the American Revolution/DAR Library/DAR Museum
15.	BY	Organization of American States
16.	BX	The Octagon House
17.	BX	Eisenhower Executive Office Building
18.	BW	Renwick Gallery

Cafés et restos ●

19.	CW	Bobby Van's Steakhouse
20.	BV	Firehook Bakery
21.	CV	Georgia Brown's
22.	BV	McCormick & Schmick's
23.	BX	Muse Cafe
24.	CX	Occidental Grill & Seafood
25.	CW	Old Ebbitt Grill
26.	BW	The Bombay Club

Bars et boîtes de nuit ☽

27.	CV	Fast Eddie's Sports & Billiards
28.	CV	Georgia Brown's
29.	CW	P.O.V. Roof Terrace
30.	CX	The Round Robin Bar

Salles de spectacle ◆

31.	BX	DAR Constitution Hall

Lèche-vitrine ■

32.	AV	Arts Club of Washington
33.	AX	Indian Craft Shop
34.	CW	White House Gift Shop

Hébergement ▲

35.	CV	Loews Madison Hotel
36.	CW	Sofitel Washington DC Lafayette Square
37.	BW	The Hay-Adams
38.	CV	The St. Regis Washington, D.C.
39.	CX	W Washington D.C.
40.	CW	Willard InterContinental Washington

Ils ont été présidents des États-Unis

1 George Washington (1789-1797)

2 John Adams (1797-1801)

3 Thomas Jefferson (1801-1809)

4 James Madison (1809-1817)

5 James Monroe (1817-1825)

6 John Quincy Adams (1825-1829)

7 Andrew Jackson (1829-1837)

8 Martin Van Buren (1837-1841)

9 William Henry Harrison (1841)

10 John Tyler (1841-1845)

11 James Knox Polk (1845-1849)

12 Zachary Taylor (1849-1850)

13 Millard Fillmore (1850-1853)

14 Franklin Pierce (1853-1857)

La Maison-Blanche et ses environs

porte le nom de Lafayette Square, au centre duquel se dresse fièrement, entre quatre canons pris aux Anglais durant la guerre de 1812, la statue équestre en bronze du général Andrew Jackson triomphant, levant son chapeau à la victoire.

St. John's Church ★ [3]
1525 H St. NW, métro Farragut North ou Farragut West, www.stjohns-dc.org
De l'autre côté du parc, à côté de l'ancienne ambassade britannique, une élégante petite église a été construite au lendemain de l'invasion de la capitale par les troupes britanniques. À l'intérieur, les vitraux situés derrière l'autel proviennent de France et ont été conçus par Mme Lorin, conservateur à la cathédrale de Chartres. Le banc 54 est destiné au président des États-Unis en fonction.

Tournez à droite dans 15th Street NW.

Folger Building [4]
725-727 15th St. NW, métro Federal Triangle
On doit le Folger Building à l'architecte Jules Henri de Sibour. Son élégant toit mansardé de style Beaux-Arts rappelle ceux des galeries Renwick et Corcoran, ainsi que celui de l'hôtel Willard InterContinental Washington.

Treasury Building ★ [5]
on ne visite pas; 1500 Pennsylvania Ave. NW, angle 15th St., métro Metro Center
À l'est de la Maison-Blanche se dresse un grand édifice d'architecture néoclassique grecque, aisément identifiable grâce à son

SunTrust Bank Building.

imposant portique soutenu par 30 immenses colonnes ioniques. Il s'agit du Treasury Building, le siège du ministère des Finances.

Les édifices bordant le côté est de la Maison-Blanche, entre Pennsylvania Avenue et New York Avenue, forment un ensemble remarquable d'élégance.

SunTrust Bank Building [6]
angle 15th St. et New York Ave. NW, métro Federal Triangle

La façade de briques rouges, l'angle arrondi surmonté d'une petite horloge et les éléments décoratifs en terre cuite donnent un joli cachet au SunTrust Bank Building.

Hotel Washington [7]
angle 15th St. et Pennsylvania Ave. NW, métro Federal Triangle

L'immeuble à l'angle de 15th Street et de Pennsylvania Avenue NW n'est autre que l'Hotel Washington, plus vieil hôtel du district de Columbia, maintenant sous la bannière W (voir p. 141). On le doit aux architectes Carrère et Hasting, qui ont également dessiné les plans de la New York Public Library de Fifth Avenue à New York. Notez les décorations de la façade et sa frise, avec les bustes des présidents américains.

Tournez à gauche dans Pennsylvania Avenue NW.

Pershing Park [8]
Pennsylvania Ave. entre 14th St. et 15th St. NW, métro Federal Triangle

Près de l'hôtel Washington s'étend un charmant petit parc ponctué de bancs où il fait bon se reposer à l'ombre des arbres. Créé en 1981 sous l'égide de la Pennsylvania Avenue Development Corpo-

15 James Buchanan
(1857-1861)

16 Abraham Lincoln
(1861-1865)

17 Andrew Johnson (1865-1869)

18 Ulysses Simpson Grant
(1869-1877)

19 Rutherford Birchard Hayes
(1877-1881)

20 James Abram Garfield (1881)

21 Chester Alan Arthur
(1881-1885)

22/24 Grover Cleveland
(1885-1889 et 1893-1897)

23 Benjamin Harrison
(1889-1893)

25 William McKinley (1897-1901)

26 Theodore Roosevelt
(1901-1909)

27 William Howard Taft
(1909-1913)

28 Thomas Woodrow Wilson
(1913-1921)

29 Warren Gamaliel Harding
(1921-1923)

30 John Calvin Coolidge
(1923-1929)

ration, le Pershing Park forme un agréable coin de verdure en face du prestigieux hôtel Willard. Azalées, chrysanthèmes et autres fleurs agrémentent joliment l'ensemble. Durant l'hiver, une patinoire extérieure y est aménagée.

Willard InterContinental Washington ★ [9]
1401 Pennsylvania Ave. NW, métro Federal Triangle, 202-628-9100 ou 877-660-8550; voir p. 142

D'une architecture typique du XIXe siècle, le Willard est sans aucun doute l'un des plus beaux hôtels de Washington, tant par sa décoration intérieure que par son élégante façade. Considéré comme le plus grand hôtel de la ville, l'établissement a accueilli son lot de célébrités. C'est notamment dans une de ses suites que fut rédigé le fameux discours du Dr. Martin Luther King Jr., *I have a dream*. L'intérieur abrite un superbe hall, tout de marbre décoré, ainsi qu'une longue galerie d'élégantes boutiques.

Revenez vers la Maison-Blanche par Pennsylvania Avenue NW, qui devient E Street NW.

Au sud de la demeure présidentielle américaine a été aménagé un parc jouxtant l'avenue du Mall, que l'on appelle aujourd'hui l'**Ellipse** [10], bien que le parc ait la forme d'un quadrilatère.

L'Ellipse.

Zero Milestone [11]
au nord de l'Ellipse, sur E St.

Le Zero Milestone, borne kilométrique qui marque le kilomètre zéro des routes des États-Unis, est le lieu où les visiteurs ont la plus belle vue sur la façade sud de la demeure des présidents américains.

Corcoran Gallery of Art ★★ [12]
10$; jeu-dim 10h à 17h et mer 10h à 21h; angle 17th St. et E St. NW, métro Farragut West, 202-639-1700, www.corcoran.org

William Wilson Corcoran, autodidacte et philanthrope, est à l'origine de la Corcoran Gallery of Art, dont la collection d'œuvres américaines et européennes se compose de plus de 16 000 pièces. Au rez-de-chaussée se trouve *The Greek Slave* (l'esclave grecque), un nu qui provoqua tout un émoi auprès de la société puritaine américaine du XIXe siècle. Au même étage, le Salon doré est une magnifique pièce du XVIIIe siècle. Une autre salle, consacrée à l'art italien de la Renaissance, rassemble des tapisseries du XVIe siècle et des poteries en majolique datant des XVe et XVIe siècles. Le musée loge un café (voir p. 66).

Prenez 17th Street NW à gauche.

American National Red Cross ★ [13]
entrée libre; visites guidées mer et ven à 10h et 14h sur réservation; 17th St. entre D St. et E St. NW, métro Farragut West, 202-303-4233

À gauche de la Corcoran Gallery of Art se dresse un autre majestueux bâtiment, l'American National Red Cross, qui abrite, comme son nom l'indique, les locaux de la Croix-Rouge américaine. Sa façade en marbre du Vermont, ornée de

31 Herbert Clark Hoover
    (1929-1933)

32 Franklin Delano Roosevelt
    (1933-1945)

33 Harry S. Truman (1945-1953)

34 Dwight David Eisenhower
    (1953-1961)

35 John Fitzgerald Kennedy
    (1961-1963)

36 Lyndon Baines Johnson
    (1963-1969)

37 Richard Milhous Nixon
    (1969-1974)

38 Gerald Rudolph Ford
    (1974-1977)

39 James Earl (Jimmy) Carter
    (1977-1981)

40 Ronald Wilson Reagan
    (1981-1989)

41 George Herbert Walker Bush
    (1989-1993)

42 William Jefferson (Bill)
    Clinton (1993-2001)

43 George W. Bush (2001-2009)

44 Barack Obama (2009-)

colonnes corinthiennes et d'un fronton au milieu duquel figure une large croix rouge qui jure quelque peu avec l'élégance de l'ensemble de la structure, est aisément identifiable.

Daughters of the American Revolution (DAR) [14]

entrée libre; lun-ven 9h30 à 16h, sam 9h à 17h; visites guidées lun-ven 10h à 14h30, sam 9h à 16h30; 1776 D St. NW, angle 17th St., métro Farragut West, 202-628-1776, www.dar.org

De biais avec l'American National Red Cross, le DAR représente une organisation formée en 1890 par un groupement de femmes, descendantes directes des patriotes de la Révolution américaine, qui visait à perpétuer «la mémoire et l'esprit des hommes et des femmes qui avaient contribué à l'indépendance américaine», et à nourrir «le véritable patriotisme et l'amour du pays». Son hall accueille la **DAR Library ★** [14], une grande bibliothèque consacrée à l'histoire des familles américaines. Le petit **DAR Museum** [14] présente, quant à lui, une exposition sur les arts décoratifs. On y trouve des meubles antiques, de la vaisselle (argenterie et verrerie), de belles courtepointes et des armes à feu anciennes.

Organization of American States [15]

angle 17th St. et Constitution Ave. NW, métro Farragut West, 202-370-5000, www.oas.org

À côté du DAR s'élève une très belle villa espagnole en marbre de

Eisenhower Executive Office Building.

style colonial. Il s'agit du siège de l'Organization of American States, organisation créée en 1948 dans le but de promouvoir la paix et la coopération économique entre les pays indépendants de l'Amérique du Nord et de l'Amérique latine.

Prenez Constitution Avenue à droite, puis aussi 18th Street NW à droite.

The Octagon House ★ [16]
1799 New York Ave., métro Farragut West, 202-626-7439, www.theoctagon.org

Construite en 1800 par l'architecte réputé William Thornton, l'Octagon House surprend tout d'abord par l'originalité de son architecture. À cause de la forme triangulaire du terrain sur lequel elle devait être érigée, William Thornton conçut une maison constituée de deux ailes

rectangulaires entourant de part et d'autre un pavillon central de forme arrondie. Les figures les plus influentes de Washington furent reçues en ces lieux, qui appartiennent depuis 1899 à The American Institute of Architects.

Continuez vers le nord dans 18th Street NW, puis prenez F Street NW à droite pour vous rendre à 17th Street NW.

Eisenhower Executive Office Building ★ [19]
angle 17th St. et Pennsylvania Ave. NW, métro Farragut West ou Farragut North

À l'ouest de la Maison-Blanche, l'Eisenhower Executive Office Building, taxé par le président Truman de «plus grande monstruosité en Amérique», est un grand immeuble en granit construit entre

La Maison-Blanche et ses environs

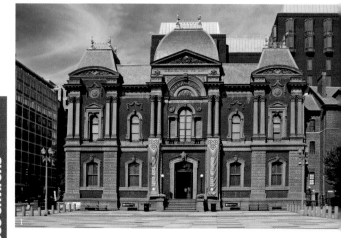

1871 et 1888 dans le style Second Empire. L'édifice loge le siège des collaborateurs du président américain et compte plus de 550 pièces et bureaux.

Renwick Gallery ★ ★ [18]

fermé jusqu'en 2016; angle Pennsylvania Ave. et 17th St. NW, métro Farragut West ou Farragut North, 202-633-7970, www.americanart.si.edu/renwick

Logée dans un très beau bâtiment Second Empire, la Renwick Gallery du Smithsonian American Art Museum propose des expositions temporaires sur l'artisanat et les arts décoratifs américains, qu'ils soient historiques ou contemporains. Au moment de mettre sous presse, la Renwick Gallery subissait des travaux majeurs et était fermée. Sa réouverture est prévue pour 2016.

Cafés et restos

(voir carte p. 59)

Firehook Bakery $ [20]

912 17th St. NW, 202-429-2253, www.firehook.com

Si vous voulez prendre un petit déjeuner rapide, rendez-vous à la Firehook Bakery, qui offre une sélection de thés et de cafés que vous pourrez accompagner de muffins, biscuits et gâteaux. L'établissement est réputé pour son pain. Le midi, vous pourrez vous y offrir sandwichs et salades.

Muse Cafe $$ [23]

Corcoran Gallery of Art, angle 17th St. et New York Ave. NW, 202-639-1786, www.toddgraysmuse.com

Le restaurant de la Corcoran Gallery of Art sert, dans le vaste hall

1. Renwick Gallery.
2. Old Ebbitt Grill.

à colonnades du rez-de-chaussée, des sandwichs et des salades élégamment présentées. Chaque dimanche, de 11h à 14h, l'établissement propose un brunch végétalien; il est alors recommandé de réserver.

Old Ebbitt Grill $$ [25]

675 15th St. NW, 202-347-4800, www.ebbitt.com

Le plus vieux saloon de Washington se nomme l'Old Ebbitt Grill. Pourtant, quand on pousse les portes de la salle à manger, l'atmosphère fait plutôt penser à une vieille brasserie française. On peut y commander de bonnes pâtes ainsi que des fruits de mer, ou encore de copieux hamburgers et sandwichs. L'ambiance est très agréable et les prix sont tout à fait corrects, vu la quantité de nourriture dans les assiettes.

Bobby Van's Steakhouse $$-$$$ [19]

809 15th St. NW, 202-589-0060, www.bobbyvans.com

Avant de pénétrer dans le Bobby Van's Steakhouse, prenez le temps d'admirer la magnifique façade du Southern Building qui l'abrite. Une fois que vous serez installé dans la salle à manger, il vous sera conseillé de commander un filet mignon ou un steak d'aloyau, tendre à souhait, qui rassasie à tout coup les plus gros appétits. Le menu affiche également quelques plats de fruits de mer et de pâtes.

Georgia Brown's $$$ [21]

950 15th St. NW, 202-393-4499, www.gbrowns.com

Dans ce restaurant, préparez-vous à goûter aux plats réputés parmi les meilleurs de la capitale. L'inté-

La Maison-Blanche et ses environs

DAR Constitution Hall.

rieur est un enchevêtrement harmonieux de bois et de bronze. La cuisine préparée est américaine, et le chef s'inspire plus précisément des spécialités des plantations de la Caroline du Sud. C'est une excellente adresse où l'ambiance *jazzy* est très agréable.

McCormick & Schmick's $$$ [22]

1652 K St. NW, 202-861-2233,
www.mccormickandschmicks.com

McCormick & Schmick's est une valeur sûre pour qui veut se rassasier de poissons et fruits de mer. Le service est de qualité et plutôt empressé. Réservations recommandées.

The Bombay Club $$$ [26]

815 Connecticut Ave. NW, 202-659-3727,
www.bombayclubdc.com

Pour une soirée réussie, où les rapprochements sont de mise, pour-

quoi ne pas vous diriger vers le Bombay Club? La cuisine indienne est des plus savoureuses, le service est professionnel et un pianiste vous accompagnera tout au long de la soirée. Une belle adresse.

Occidental Grill & Seafood $$$-$$$$ [24]

1475 Pennsylvania Ave. NW, 202-783-1475,
www.occidentaldc.com

À peine entré dans la salle à manger de l'Occidental Grill & Seafood, vous découvrirez des murs tapissés d'une foule de photographies de diverses personnalités internationales qui ont mangé dans ce restaurant devenu une véritable institution à Washington, entre autres Churchill, Nixon et Roosevelt. On y sert des viandes savoureuses et de délicieux poissons cuits sur le gril.

Bars et boîtes de nuit

(voir carte p. 59)

Fast Eddie's Sports & Billiards [27]
1520 K St. NW, 202-737-7678,
www.fasteddies.com

Non loin de la Maison-Blanche, vous trouverez un établissement où vous pourrez regarder toutes sortes de sports : Fast Eddie's Sports & Billiards. L'établissement est également doté de tables de billard et de jeux de fléchettes.

Georgia Brown's [28]
950 15th St. NW, 202-393-4499,
www.gbrowns.com

Chez Georgia Brown's, vous pourrez entre autres écouter des artistes locaux jouer des airs de jazz les mercredis de 18h à 22h.

P.O.V. Roof Terrace [29]
W Washington D.C., angle 15th St. et Pennsylvania Ave. NW, 202-661-2452

Le W Washington D.C. convie à sa P.O.V. Roof Terrace les visiteurs qui désirent prendre un verre ou un cocktail en admirant les principaux monuments du National Mall et la Maison-Blanche.

The Round Robin Bar [30]
Willard InterContinental Washington,
1401 Pennsylvania Ave., 202-628-9100

Depuis 1850, l'élite de Washington se rend au Round Robin Bar pour sa sélection de scotchs.

Salles de spectacle

(voir carte p. 59)

DAR Constitution Hall [31]
Daughters of the American Revolution, 1776 D St. NW, 202-628-4780, www.dar.org/conthall

De nombreux spectacles variés sont présentés dans la grande salle du DAR Constitution Hall. En plus des concerts, ballets et pièces de théâtre, elle est l'hôte de cérémonies prestigieuses de remise de prix ou de conférences.

Lèche-vitrine

(voir carte p. 59)

Cadeaux et souvenirs

White House Gift Shop [34]
701 15th St. NW, www.whitehousegiftshop.com

Si vous cherchez à vous procurer un portrait de la famille Obama, la même montre que porte le président des États-Unis, ou n'importe quel souvenir représentant la Maison-Blanche, le président ou sa famille, voilà l'endroit où aller.

Galeries d'art

Arts Club of Washington [32]
2017 I St. NW, 202-331-7282,
www.artsclubofwashington.org

L'Arts Club of Washington met de l'avant les artistes de la région.

Indian Craft Shop [33]
1849 C St. NW, 202-208-4056,
www.indiancraftshop.com

Cette boutique qui représente plus de 45 groupes autochtones américains vend leur artisanat.

La Maison-Blanche et ses environs

4 ↘

Le National Mall

À voir, à faire

(voir carte p. 72-73)

En 1791, le major Pierre Charles L'Enfant envisagea d'aménager une vaste esplanade cruciforme qui s'étendrait depuis la Jenkins Hill jusqu'à l'emplacement aujourd'hui occupé par le Washington Monument, reliant ainsi la Maison-Blanche et le Capitole par une élégante avenue verdoyante. Mais le major ayant été remercié de ses services avant même la construction de la ville, il fallut attendre plus de 110 ans avant que ce projet ne soit enfin réalisé tel que L'Enfant l'avait envisagé. En effet, durant la plus grande partie du XIXᵉ siècle, cette esplanade, que l'on appelle le National Mall et qui tenait lieu de pâture et de jardin, constitua davantage une simple allée sordide laissée à l'abandon.

Avec ses sompteux bâtiments construits de part et d'autre de l'esplanade qui abritent certaines des plus belles collections muséales du pays, le **National Mall** ★ ★ ★, communément appelé The Mall, confère aujourd'hui à Washington une allure fière et distinguée, tout en offrant au cœur même de la ville un espace de verdure où les Washingtoniens aiment venir se promener et courir, ou s'étendre sur les rives du Tidal Basin tout en contemplant les édifices néoclassiques qui font la fierté de la capitale américaine.

National Museum of the American Indian ★ ★ [1]

entrée libre; tlj 10h à 17h30; angle Independence Ave. et Fouth St. SW, entrée sur le National Mall par Jefferson Dr., métro L'Enfant Plaza, 202-633-1000, www.nmai.si.edu

Plus récent des musées du Smithsonian, le National Museum of the

National Air and Space Museum.

American Indian abrite environ 825 000 objets et artéfacts représentant plus de 12 000 années d'histoire et provenant de quelque 1 200 nations autochtones des Amériques. L'architecte canadien d'origine amérindienne Douglas Cardinal a créé ici un étonnant bâtiment aux formes organiques. À noter que le musée abrite le Mitsitam Cafe, qui propose de bons mets inspirés des traditions des différentes nations autochtones.

National Air and Space Museum ★★★ [2]

entrée libre; tlj 10h à 17h30; 600 Independence Ave., angle Sixth St. SW, entrée sur le National Mall par Jefferson Dr., métro L'Enfant Plaza, 202-633-2214, www.airandspace.si.edu

Le National Air and Space Museum convie les visiteurs, passionnés ou non d'aéronautique, à vivre une expérience unique et inoubliable. Ce musée expose une collection impressionnante d'avions, depuis la machine volante des frères Wright jusqu'à l'avion de Charles Lindberg qui lui permit d'effectuer le premier vol transatlantique en solitaire et sans escale en 1927, en passant par le module de commande d'Apollo 11, *Columbia*, qui ramena sur Terre les astronautes Neil Armstrong, Buzz Aldrin et Michael Collins après leur voyage sur la Lune en juillet 1969.

Hirshhorn Museum and Sculpture Garden ★★★ [3]

entrée libre; tlj 10h à 17h30; angle Independence Ave. et Seventh St. SW, métro L'Enfant Plaza, 202-633-4674, www.hirshhorn.si.edu

Le Hirshhorn Museum and Sculpture Garden est aisément identifiable par son architecture moderne et circulaire. Ce musée a été baptisé en l'honneur de Joseph H. Hirshhorn (1899-1981), un collectionneur américain, qui légua

Le National Mall

À voir, à faire ★

Qu'est-ce que le Smithsonian?

Le Smithsonian est en fait un vaste complexe qui regroupe 19 musées – un 20e est en construction sur le National Mall, le National Museum of African American History and Culture, dont l'ouverture est prévue pour 2015 –, un parc zoologique et plusieurs départements de recherche. L'origine de la création de cet institut est le fait d'un sujet britannique très fortuné, James Smithson, qui légua en 1829 la somme fabuleuse, pour l'époque, d'un demi-million de dollars au gouvernement américain afin de fonder à Washington un établissement qui veillerait au développement et à la diffusion du savoir.

Bien qu'il n'ait jamais mis le pied en Amérique, James Smithson, qui voyait en la démocratie américaine, plus qu'en la monarchie britannique, l'avenir de la civilisation, choisit la capitale des États-Unis pour son nouveau centre de développement et de diffusion du savoir. Après huit longues années de tergiversations, car on craignait d'offusquer la couronne d'Angleterre, le Congrès accepta cette généreuse donation.

Aujourd'hui, le Smithsonian constitue le plus grand ensemble de musées et de galeries d'art au monde. Soutenu par le gouvernement fédéral, en plus de recevoir d'importants fonds privés, le Smithsonian compte désormais plus de 140 millions d'objets retraçant tous les aspects de l'évolution de l'homme. Fidèle à son engagement de développer le savoir parmi les hommes, le Smithsonian veille également à promouvoir l'enseignement public et la recherche tant au niveau primaire qu'universitaire. Parallèlement, il soutient activement les arts du spectacle en organisant une grande variété d'activités culturelles.

aux États-Unis d'Amérique plus de 12 000 œuvres provenant de sa collection personnelle de sculptures et d'œuvres d'art moderne.

Tournez à droite dans Seventh Street SW, puis à gauche dans Jefferson Drive SW.

Arts and Industries Building ★ [4]
fermé jusqu'à la fin de 2014; angle Jefferson Dr. et Ninth St. SW, métro L'Enfant Plaza ou Smithsonian, 202-633-1000

L'édifice de l'Arts and Industries Building arbore une très belle architecture victorienne de briques

National Museum of African Art.

rouges et de grès de l'Ohio. Propriété du Smithsonian, il expose des milliers d'objets de l'Amérique victorienne. C'est un véritable voyage dans le temps que vous ferez ici, et ce, jusqu'à l'année 1876, date à laquelle les États-Unis d'Amérique accueillaient l'exposition internationale de Philadelphie. Au moment de mettre sous presse, l'Arts and Industries Building était fermé pour d'importants travaux de rénovation visant à lui redonner son lustre d'antan. Son ouverture est prévue pour la fin de 2014.

Smithsonian Institution Building [5]

entrée libre; tlj 8h30 à 17h30; 1000 Jefferson Dr., entre Ninth St. et 12th St. SW, métro Smithsonian, 202-633-1000

En remontant le National Mall vers l'ouest, vous apercevrez le Smithsonian Institution Building, un bâti-

ment de grès de style Renaissance médiévale flanqué de huit tours crénelées, que l'on appelle communément **The Castle**. Ce «château» hébergeait jadis toutes les activités du Smithsonian; mais aujourd'hui, seuls le centre d'information et les services administratifs de l'institution y demeurent.

National Museum of African Art ★★ [6]

entrée libre; tlj 10h à 17h30; 950 Independence Ave. SW, métro Smithsonian, 202-633-4600, www.nmafa.si.edu

Sous une structure au toit arrondi, le National Museum of African Art présente les arts et les civilisations de l'Afrique subsaharienne. Plus de 900 cultures distinctes y sont représentées. Il est d'ailleurs le seul musée des États-Unis à se consacrer exclusivement à ces cultures

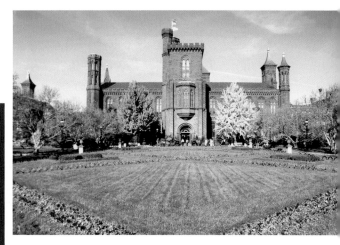

issues de contrées situées au sud du Sahara.

Situé entre le National Museum of African Art et l'Arthur M. Sackler Gallery, le magnifique **Enid A. Haupt Garden** ★ [7] s'enorgueillit de son grand parterre victorien où il fait bon se prélasser.

Arthur M. Sackler Gallery ★★ [8]
entrée libre; tlj 10h à 17h30; 1050 Independence Ave. SW, métro Smithsonian, 202-633-1000, www.asia.si.edu

Le bâtiment de l'Arthur M. Sackler Gallery est aisément identifiable par son toit doté de six petites formes pyramidales. Les visiteurs pourront se plonger dans l'évolution de l'art de l'Asie et du Proche-Orient, de l'Antiquité à nos jours. Créé grâce à un don de plus de 1 000 œuvres remarquables d'Arthur M. Sackler

(1913-1987), auteur de recherches médicales, éditeur et grand collectionneur d'art, ce musée propose, en plus de sa collection, des expositions temporaires présentant des objets prêtés par d'autres musées américains ou étrangers.

Freer Gallery of Art ★★ [9]
fermé jusqu'en 2016; Jefferson Dr., au niveau de 12th St. SW, métro Smithsonian, 202-633-4880

Une voie souterraine relie l'Arthur M. Sackler Gallery et la Freer Gallery of Art, un très beau bâtiment classique de style Renaissance florentine construit en marbre et en granit. La galerie abrite deux collections totalement différentes, l'une consacrée à l'art asiatique depuis l'âge néolithique jusqu'au début du XXe siècle, et l'autre, à la peinture américaine contemporaine. Au

1. Enid A. Haupt Garden.

2. National Museum of American History.

moment de mettre sous presse, la galerie était fermée jusqu'en 2016 pour des travaux de rénovation.

Tournez à droite dans 12th Street NW et remontez jusqu'à Constitution Avenue NW.

National Museum of American History ★★ [10]

entrée libre; tlj 10h à 17h30; Constitution Ave. entre 12th St. et 14th St. NW, entrée sur le National Mall par Madison Dr., métro Federal Triangle, 202-633-1000, www.americanhistory.si.edu

Revivez les grands moments de l'histoire américaine à travers l'évolution de la technologie et l'impact de la science sur la société au National Museum of American History. Avec plus de trois millions d'objets, le contenu et la diversité des expositions sont tout simplement ahurissants. Il est évidemment impossible de présenter l'en-semble de cette vaste collection sous un même toit. Aussi ce musée est-il constamment en train de renouveler ses expositions.

Herbert C. Hoover Department of Commerce Building [11]

entre 14th St., 15th St., E St. et Constitution Ave. NW, métro Federal Triangle

Avec sa façade de plus de 300 m de long, le Department of Commerce occupe à lui seul tout un quadrilatère. Il fut, à sa construction en 1932, le plus vaste immeuble de bureaux au pays.

National Museum of African American History and Culture [12]

ouverture prévue pour 2015; Constitution Ave. entre 14th St. et 15th St. NW, métro Federal Triangle, www.nmaahc.si.edu

En construction au moment de notre passage, le 20e musée du

Explorer Washington

Smithsonian présentera la riche histoire et la culture des Afro-Américains avec des expositions et de nombreux artéfacts.

National Museum of Natural History ★★ [13]

entrée libre; tlj 10h à 17h30; Constitution Ave. au niveau de 10th St. NW, métro Federal Triangle, 202-633-1000, www.mnh.si.edu

Ce musée d'histoire naturelle fait autorité dans trois principaux domaines scientifiques : l'anthropologie, la biologie et la géologie. Une fois le porche franchi, vous vous retrouverez au cœur d'une impressionnante rotonde haute de 38 m. En son centre se dresse un éléphant géant de la brousse africaine. Ne manquez pas la fabuleuse **Gem Gallery ★★★**, la « salle des pierres précieuses », qui expose des exemplaires uniques au monde.

National Gallery of Art ★★★ [14]

entrée libre; lun-sam 10h à 17h, dim 11h à 18h; angle Constitution Ave. et Sixth St. pour le West Building, et angle Fourth St. entre Constitution Ave. et Madison Dr. pour l'East Building, métro Judiciary Square, 202-737-4215, www.nga.gov

La National Gallery of Art abrite l'une des plus belles collections au monde de chefs-d'œuvre picturaux et sculpturaux du Moyen Âge jusqu'à l'époque moderne. Cette galerie d'art est composée de deux bâtiments : l'un à l'ouest, le West Building, renferme une collection d'œuvres de maîtres anciens flamands (Rembrandt, Vermeer), italiens (Botticelli et Léonard de Vinci), français (Watteau, Nicolas Pous-sin, Fragonard, Boucher), anglais (Turner, Gainsborough) et américains; l'autre à l'est, l'East Building, regroupe des expositions spéciales, une bibliothèque et des archives photographiques. Les deux bâtiments sont reliés par un couloir souterrain. À noter qu'au moment de mettre sous presse, certains secteurs de l'East Building étaient fermés pour des travaux de rénovation. La réouverture complète de l'édifice est prévue pour le printemps 2016.

_____

Prenez 12th Street SW à gauche, puis C Street SW à droite.

Bureau of Engraving and Printing ★ [15]

lun-ven 8h30 à 15h, visites guidées gratuites toutes les 15 min de 9h à 10h45 et 12h30 à 14h; angle 14th St. et C St. SW, métro Smithsonian, 202-874-2330, www.moneyfactory.gov

Le Bureau of Engraving and Printing propose des visites pendant lesquelles il est possible de voir les presses d'où, chaque année, plus de 20 milliards de dollars de billets et de timbres sont produits. Les visiteurs peuvent ainsi suivre les différentes étapes du processus de fabrication de la monnaie américaine, depuis l'impression jusqu'à la vérification et la coupe des planches de billets. Il est conseillé d'arriver tôt, sinon attendez-vous à faire la queue.

_____

Prenez 14th Street SW à droite, Independence Avenue SW à gauche, puis 15th Street SW à gauche.

Thomas Jefferson Memorial.

United States Holocaust Memorial Museum ★★ [16]

entrée libre, mai à août laissez-passer requis disponible au Washington Monument Lodge, adjacent au Washington Monument; tlj 10h à 17h; 100 Raoul Wallenberg Place SW, angle Independence Ave., métro Smithsonian, 202-488-0406, www.ushmm.org

L'United States Holocaust Memorial Museum rend un vibrant et émouvant hommage aux six millions de juifs, ainsi qu'au peuple tzigane, aux personnes handicapées, aux homosexuels, aux témoins de Jéhovah, aux détenus politiques communistes et aux prisonniers de guerre soviétiques, mis en captivité puis exterminés dans la folie de la période de l'Allemagne nazie. Cette exposition propose aux visiteurs, par le biais de panneaux explicatifs, de films, de photographies, d'affiches nazies, de journaux d'époque et de témoignages de survivants, un retour douloureux dans l'histoire.

Poursuivez dans 15th Street SW jusqu'à Ohio Drive SW, que vous prendrez pour traverser le fleuve Potomac.

Thomas Jefferson Memorial ★★★ [17]

tlj 24h sur 24; sur la rive sud du Tidal Basin, à l'extrémité sud de 15th St. SW, métro Smithsonian, www.nps.gov/thje

Une des images les plus célèbres de Washington est sans doute la rotonde ouverte du Jefferson Memorial, qui est entourée de colonnes ioniques et surmontée d'un dôme. Ces colonnes protègent une statue de Jefferson (1743-1826), le troisième président américain, haute de 6 m. C'est par le vote d'une résolution du Congrès que ce dernier autorisa, en 1934,

Lincoln Memorial.

la construction de ce mémorial. Le style du bâtiment rend hommage à la demeure de Jefferson, architecte de profession, située en Virginie.

Tidal Basin ★ [18]

Les visiteurs qui séjourneront à Washington vers la fin du mois de mars et durant les premiers jours d'avril auront la chance d'admirer les **célèbres cerisiers en fleurs** du Tidal Basin. Ce bassin artificiel, qui couvre 43 ha, a été créé à la fin du XIXe siècle. Durant la belle saison, il est possible d'y faire un tour de pédalo *(12$/h pour deux personnes; mi-mars à début sept; 1501 Maine Ave. SW, 202-479-2426, www. tidalbasinpaddleboats.com)*.

Pour vivre une expérience sensorielle sans égale, faites un petit détour par le Maine Avenue Fish Market. Pour vous y rendre, empruntez Maine Avenue SW vers l'est. Vous y serez en moins de 10 min.

Maine Avenue Fish Market ★ [19]

1100 Maine Ave. SW

Le Maine Avenue Fish Market, ouvert depuis plus de 200 ans, est l'un des derniers marchés de poissons à ciel ouvert de toute la côte est des États-Unis. S'y retrouvent en abondance les meilleurs fruits de mer, frais du jour et prêts à manger (essayez la spécialité locale: le crabe bleu). Les marchands s'époumonent pour attirer les clients, l'odeur de poisson est pénétrante, le brouhaha est continuel… mais l'expérience gastronomique en vaut amplement le coup!

Revenez sur vos pas, puis tournez à gauche dans Ohio Drive SW.

Franklin Delano Roosevelt Memorial [20]

tlj 24h sur 24; West Potomac Park, sur West Bassin Dr., métro Foggy Bottom, www.nps.gov/frde

Le Franklin Delano Roosevelt Memorial a été érigé sur le National Mall en l'honneur du 32e président des États-Unis. La composition statuaire en bronze représente l'homme d'état assis et drapé d'une longue cape. À ses pieds se tient son fidèle scotch-terrier, *Fala*, tandis qu'Eleanor Roosevelt, la femme du président, figure de l'autre côté. Il s'agit du seul mémorial présidentiel à rendre ainsi hommage à l'une des premières dames du pays.

Dr. Martin Luther King Jr. National Memorial ★ [21]

tlj 24h sur 24; West Potomac Park, sur West Bassin Dr., métro Foggy Bottom, www.nps.gov/mlkm

Inauguré en 2011, ce monument honore la mémoire du Dr. Martin Luther King Jr., leader de la lutte des droits civils aux États-Unis et seul Afro-Américain à avoir son mémorial sur le Mall. Le mémorial consiste en une statue de granit du leader fixant l'horizon.

Korean War Veterans Memorial ★★ [22]

tlj 24h sur 24; à l'extrémité ouest du Mall, au sud de la Reflecting Pool, métro Foggy Bottom, www.nps.gov/kowa

Le Korean War Veterans Memorial se compose de 19 statues monumentales, toutes faites d'acier. Ces statues représentent 14 fantassins, trois marines, un officier de l'Air Force et un médecin de guerre semblent frappées de peur et d'épuisement. Le mémorial, situé près du Lincoln Memorial, au sud de la Reflecting Pool, est décoré de plus de 2 000 photographies de cette guerre trop souvent oubliée, pendant laquelle plus de 54 000 Américains ont rendu l'âme.

Lincoln Memorial ★★★ [23]

tlj 24h sur 24; à l'extrémité ouest du Mall, au niveau de 23rd St. NW, métro Foggy Bottom, www.nps.gov/linc

Inspiré du Parthénon grec, le Lincoln Memorial joue un rôle clé dans la composition architecturale de Washington. Se dressant de façon olympienne à l'extrémité ouest du Mall, ce monument fait face au Capitole. En son centre trône une monumentale statue du président Lincoln assis. Depuis les marches d'escalier qui mènent à l'intérieur du temple, les visiteurs pourront jouir d'une très belle vue sur toute l'étendue du National Mall et les magnifiques bâtiments qui le bordent. C'est d'ailleurs du haut de ses marches, qui sont aujourd'hui devenues un lieu de prédilection pour les manifestations publiques, que le Dr. Martin Luther King Jr. fit son célèbre discours *I have a dream* en 1963.

Vietnam Veterans Memorial ★ [24]

tlj 24h sur 24; angle Constitution Ave. et Henry Bacon Dr. NW, à l'extrémité ouest du Mall, à la hauteur de 22nd St. NW, métro Foggy Bottom, www.nps.gov/vive

«*C'est une faille dans l'écorce terrestre – un long mur de pierre polie,*

Le National Mall

Le Lincoln Memorial Reflecting Pool et le Washington Monument.

qui ne sort de terre que pour y retour-
ner. [...] Prenez un couteau et faites
une incision dans la terre... avec le
temps, l'herbe finira par la combler
à nouveau. » C'est en ces mots que
l'étudiante de 21 ans à l'Université
Yale, Maya Ying Ling, décrivait son
œuvre, le Vietnam Veterans Memorial. Au cours de la guerre du Vietnam, 58 132 Américains ont perdu la
vie et tous leurs noms sont inscrits
sur le mur noir de ce mémorial.

Vietnam Women's Memorial [25]

tlj 24h sur 24; Constitution Gardens, au sud-est
du Vietnam Veterans Memorial, métro Foggy
Bottom, www.vietnamwomensmemorial.org

Juste à côté se trouve le Vietnam
Women's Memorial, qui fut construit
en l'honneur des 265 000 femmes
qui servirent durant la guerre du
Vietnam. Il s'agit d'une sculpture en

bronze inaugurée en 1993 que l'on
doit à l'artiste Glenna Goodacre.
Elle représente un groupe de trois
femmes en uniforme, dont deux
soutiennent un soldat blessé.

World War II Memorial ★ [26]

17th St. SW entre Constitution Avenue et
Independence Avenue, www.wwiimemorial.com

Œuvre de l'architecte Friedrich
St. Florian, ce monument est situé
sur un emplacement avantageux,
directement au bout de la Reflecting Pool, au sud de 17th Street. Il
se trouve donc directement entre
les monuments dédiés à Abraham
Lincoln et à George Washington.
Le site prend la forme d'un ovale
au centre duquel s'étend un bassin agrémenté de deux fontaines.
On accède au site en passant sous
l'un ou l'autre des deux arcs de
triomphe : l'un est dédié aux armées

qui se sont battues dans le Pacifique et l'autre à celles du théâtre d'opérations atlantique. Autour de la place, 56 piliers de granit, eux aussi ornés de lauriers, rappellent qu'autant d'États et de territoires américains prirent part au conflit.

Empruntez 17th Street SW à gauche.

Lincoln Memorial Reflecting Pool [27]
tlj 24h sur 24; à l'ouest du Mall, métro Foggy Bottom

Le long bassin d'eau rectangulaire qui s'étend entre le Lincoln Memorial et le Washington Monument se dénomme Reflecting Pool. À l'origine, ce bassin d'eau devait, selon les recommandations de la commission McMillan faites en 1902, être cruciforme. La Première Guerre mondiale et la construction

d'un dépôt de munitions le long de Constitution Avenue eurent raison de ce projet. Les photographes apprécieront tout particulièrement les reflets du Washington Monument que les eaux miroitantes du bassin renvoient.

Washington Monument ★★ [28]
entrée libre, laissez-passer requis disponible au Washington Monument Lodge, adjacent au Washington Monument; juin à la fête du Travail (Labor Day) 9h à 22h, reste de l'année 9h à 17h; au centre du Mall, entre 17th St. et 15th St., métro Smithsonian, www.nps.gov/wamo

Le Washington Monument, avec ses 169 m de hauteur, est devenu, au même titre que le Capitole ou la Maison-Blanche, l'un des symboles les plus reconnus de Washington. Achevé en 1884, il aura fallu près de 40 ans pour construire cet obélisque de marbre blanc juché sur une petite colline face à la Maison-Blanche, en plein milieu de cette majestueuse esplanade que forme le Mall. De facture très sobre, ce monument, entouré de drapeaux des États-Unis, est dédié au premier président et père de la nation, George Washington. Un ascenseur permet de rejoindre le sommet du monument pour jouir d'une vue imprenable sur la capitale américaine.

Constitution Gardens ★ [29]
entrée libre; tlj 24h sur 24; sur le Mall, à la hauteur de 19th St. NW, métro Foggy Bottom

Coincés entre la Reflecting Pool et Constitution Avenue, les Constitution Gardens sont de délicieux jardins où les Washingtoniens aiment venir courir ou se prélasser. S'y trouve le seul monument qui ait été érigé en l'honneur des signataires de la Déclaration d'indépendance américaine : **Memorial to the 56 Signers of the Declaration of Independence** [30] *(tlj 24h sur 24 ; sur la rive nord de l'étang des Constitution Gardens, métro Foggy Bottom)*. Il se compose, sous forme semi-circulaire, de blocs de marbre rouge incisés d'une copie de chaque signature figurant au bas du précieux document.

Memorial to the 56 Signers of the Declaration of Independer

Cafés et restos

(voir carte p. 72-73)

Vie de France *$-$$* [32]
600 Maryland Ave. SW. 202-554-7870,
www.viedefrance.com
Pour grignoter sur le pouce entre deux visites de musée, vous trouverez ici des sandwichs en baguette, de délicieux croissants et des pains au chocolat.

CityZen *$$$$* [31]
Mandarin Oriental Hotel, 1330 Maryland Ave. SW, 202-787-6148,
www.mandarinoriental.com
Logé dans le Mandarin Oriental Hotel, le CityZen est une bonne table pour les grandes occasions. Le menu affiche une cuisine internationale que l'on peut déguster en quatre ou six services. Les serveurs se feront un plaisir de vous expliquer chaque plat et de vous suggérer un accord mets-vin. Belle carte des vins.

Salles de spectacle

(voir carte p. 72-73)

Discovery Theater [3]
Ripley Center, 1100 Jefferson Dr. SW,
202-633-8700, www.discoverytheater.org
Le Discovery Theater est un petit théâtre où sont présentés des pièces de dramaturges, des événements musicaux et des spectacles de marionnettes pour les enfants.

Lèche-vitrine

(voir carte p. 72-73)

Cadeaux et souvenirs

Notez que chaque musée du Smithsonian renferme une boutique où vous pourrez vous procurer différents articles en rapport avec les expositions qui y sont présentées.

5 ⬊

Dupont Circle et Adams Morgan

À voir, à faire

(voir carte p. 87)

D'abord prisé par la classe fortunée du pays, le quartier de Dupont Circle changea petit à petit de visage et, dans les années 1950, bon nombre de ses élégantes demeures logèrent des clubs privés, des entreprises ou des pensions de famille. Durant les années 1960, ce fut au tour des étudiants et des hippies d'occuper ce quartier, qui devint alors le haut lieu de la contre-culture dans la capitale. En 1969, une réforme fiscale aboutit à la démolition de plusieurs vieilles demeures, mais on doit la sauvegarde du cachet du secteur aux pétitions des citoyens, qui redoublèrent d'effort pour faire enfin reconnaître, en 1978, leur zone urbaine comme «quartier historique protégé». Aujourd'hui, **Dupont Circle** ★ a retrouvé les faveurs d'une population relativement aisée et est un quartier animé.

Quant au quartier d'**Adams Morgan** ★, au nord de Dupont Circle, il compte un véritable foisonnement de cafés, restaurants, boutiques et galeries d'art qui font la joie des visiteurs.

Dupont Circle [1]
angle 19th St. et Massachusetts Ave. NW, métro Dupont Circle

De la petite place Dupont Circle, appelée jadis «Pacific Circle», rayonnent d'élégantes rues et avenues bordées de maisons cossues. En 1882, le Congrès américain décida de rendre hommage à l'amiral Samuel Francis du Pont (1803-1865), héros de la guerre de Sécession, en rebaptisant le Pacific Circle du nom de «Dupont Circle».

Dupont Circle et Adams Morgan

À voir, à faire ★

1.	BY	Dupont Circle
2.	CZ	National Geographic Museum
3.	CY	The Cairo
4.	BY	Embassy of The Republic of Indonesia
5.	AX	The Phillips Collection
6.	AX	Sheridan Circle
7.	AX	Christian Hauge House
8.	AX	President Woodrow Wilson House
9.	BV	18th Street NW
10.	BW	Columbia Road

Cafés et restos ●

Dupont Circle

11.	CX	Annie's Paramount Steakhouse
12.	BX	Bistrot Du Coin
13.	CY	Bua Thai Cuisine Restaurant & Bar
14.	BZ	Daily Grill
15.	BY	DGS Delicatessen
16.	CY	Estadio
17.	BX	Firehook Bakery
18.	CY	Java House
19.	CY	Komi
20.	BY	Kramerbooks & Afterwords Cafe
21.	BX	La Tomate
22.	CY	Le Diplomate
23.	CY	Little Serow
24.	BY	Luna Grill and Diner
25.	CZ	Morton's of Chicago Steakhouse
26.	BZ	MStreet Bar & Grill
27.	BY	Raku
28.	BZ	Sign of the Whale
29.	BX	Thai Chef & Sushi
30.	BX	ThaiPhoon Restaurant
31.	CZ	The Mudd House
32.	BZ	Vidalia

Adams Morgan

33.	BV	Jyoti Indian Cuisine
34.	BV	La Fourchette
35.	BV	Mezè
36.	BV	Perry's
37.	BV	Rumba Cafe
38.	BW	Soussi
39.	BV	Tryst

Bars et boîtes de nuit ☽

Dupont Circle

40.	CY	Churchkey
41.	BZ	Dirty Martini
42.	AY	Fireplace
43.	BZ	Lucky Bar
44.	CY	New Vegas Lounge

Adams Morgan

45.	BV	Angles Bar & Billiards
46.	BV	Columbia Station
47.	BV	Madam's Organ

Lèche-vitrine ▪

48.	CZ	Brooks Brothers
49.	CZ	Chocolate Chocolate
50.	BY	Kramerbooks and Afterwords Cafe
51.	CZ	National Geographic Museum Store
52.	BV	Violet Boutique

Hébergement ▲

Dupont Circle

53.	CY	Aaron Shipman House Bed and Breakfast
54.	AX	Embassy Circle Guest House
55.	CZ	Embassy Suites Washington D.C.
56.	BY	Hotel Madera
57.	AY	Hotel Palomar, Washington DC
58.	CY	Hotel Rouge
59.	BZ	St. Gregory Luxury Hotel & Suites
60.	BY	The Dupont Circle Hotel
61.	AY	The Fairfax at Embassy Row
62.	CZ	The Jefferson
63.	CZ	The Mayflower Renaissance Washington, DC Hotel

Adams Morgan

64.	BV	Adam's Inn
65.	BW	American Guest House
66.	BW	Taft Bridge Inn

Dupont Circle et Adams Morgan

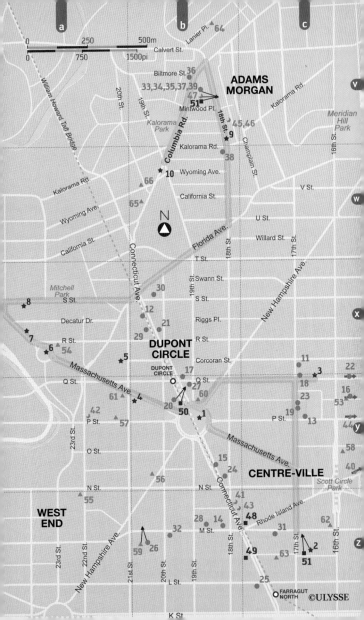

C'est donc une grande fontaine de marbre trônant au milieu d'un aménagement paysager qui rend aujourd'hui hommage à Samuel Francis du Pont.

Empruntez Massachusetts Avenue NW jusqu'à 17th Street NW et tournez à droite.

National Geographic Museum ★★ [2]

11$; tlj 10h à 18h; 1145 17th St. NW, 202-857-7700, www.ngmuseum.org

Créé en 1888, le magazine *National Geographic* a su, au fil des années, se bâtir une réputation sans égale grâce à ses explorateurs, à ses journalistes et à ses photographes. Le magnifique National Geographic Museum leur rend hommage à travers des expositions temporaires où les photos sont toutes plus saisissantes les unes que les autres. N'oubliez surtout pas de faire un arrêt à la boutique (voir p. 88)!

Faites demi-tour et marchez dans 17th Street NW jusqu'à Q Street NW, que vous prendrez à droite.

The Cairo [3]

1615 Q St. NW, métro Dupont Circle

Voilà un bien curieux immeuble! Construit en 1894, il porte le nom de The Cairo. Sa construction suscita bien des émois auprès des résidents de Washington. Il était en effet devenu le plus haut édifice de la ville, ce qui poussa le Congrès américain à voter une loi limitant la hauteur des bâtiments.

Ce fut également l'un des premiers immeubles résidentiels à structure d'acier.

Une promenade le long de Q Street permet d'admirer un quartier résidentiel calme et joliment entretenu. Empruntez cette artère vers l'ouest jusqu'à l'intersection avec New Hampshire Avenue. Suivez ensuite Dupont Circle vers l'ouest, puis prenez Massachusetts Avenue à droite.

Embassy of The Republic of Indonesia ★ [4]

visites sur réservation; 2020 Massachusetts Ave. NW, métro Dupont Circle, 202-775-5306, www.embassyofindonesia.org

L'ambassade d'Indonésie occupe l'ancien hôtel particulier de la richissime famille Walsh-McLean. Thomas Walsh, Écossais et pauvre, émigra en 1869 aux États-Unis, où il fit fortune durant la Ruée vers l'or. Il se fit alors construire, en 1903, une incroyable demeure de 60 pièces pour plus de trois millions de dollars, ce qui en fit le plus coûteux hôtel particulier de la ville. En 1951, sa fille vendit l'hôtel particulier au gouvernement indonésien pour 350 000$, soit un dixième du prix payé par son père pour le faire construire.

The Phillips Collection ★★ [5]

12$; mar-sam 10h à 17h, jeu jusqu'à 20h30, dim 11h à 18h; 1600 21st St. NW, angle Q St., métro Dupont Circle, 202-387-2151, www.phillipscollection.org

La Phillips Collection fut le premier musée américain consacré à l'art moderne à ouvrir ses portes, soit

National Geographic Museum.

Dupont Circle et Adams Morgan

en 1921, et ce, dans la maison d'un collectionneur passionné, Duncan Phillips (1886-1966), huit ans avant l'ouverture du Musée d'art moderne de New York. On y trouve des chefs-d'œuvre impressionnistes de Renoir, Van Gogh, Monet, Degas et Cézanne, mais aussi des tableaux de Picasso, Matisse, Paul Klee, Mondrian et Bonnard. L'art moderne américain y est également à l'honneur.

Empruntez Massachusetts Avenue à droite.

Sheridan Circle [6]
Sheridan Circle et Massachusetts Ave., métro Dupont Circle

Le Sheridan Circle commémore la mort du général Philip H. Sheridan, qui se distingua durant la guerre de Sécession. La statue équestre en bronze le représentant en homme fier et énergique a été sculptée par Gutzon Borglum en 1908.

Christian Hauge House ★ [7]
2349 Massachusetts Ave. NW, métro Dupont Circle

Destiné à la fois à être la résidence particulière des époux Hauge et à abriter la délégation diplomatique norvégienne, ce magnifique bâtiment datant de 1906, inspiré du château du XVIe siècle d'Azay-le-Rideau, dans la vallée de la Loire en France, fut un haut lieu de réceptions mondaines jusqu'en 1927. Après avoir logé l'ambassade de la Tchécoslovaquie puis celle de la république du Cameroun, l'édifice était en vente au moment de mettre sous presse.

Tournez à droite dans S Street.

Dupont Circle et Adams Morgan

Firehook Bakery.

President Woodrow Wilson House [8]

*10$; mar-dim 10h à 16h; 2340 S St. NW,
métro Dupont Circle, 202-387-4062,
www.woodrowwilsonhouse.org*

L'ancienne demeure du président Woodrow Wilson est aujourd'hui un petit musée à la mémoire de ce chef d'État qui reçut le prix Nobel de la paix en 1920. Le 28e président des États-Unis d'Amérique s'installa à la fin de son mandat, en 1921, dans cette charmante et modeste maison pour y couler des jours paisibles. Il n'y demeura que quelques années et mourut en 1924.

Pour vous rendre dans le quartier d'Adams Morgan, poursuivez dans S Street jusqu'à Florida Avenue NW, que vous prendrez à gauche. Tournez à gauche dans 18th Street NW.

18th Street NW [9] et Columbia Road [10]

18th St. NW entre Florida Ave. et Columbia Rd.;
Columbia Rd. entre 16th St. et Wyoming Ave. NW

Le quartier d'Adams Morgan est très fréquenté le soir venu pour ses nombreux restaurants et bars de toutes origines. Que ce soit pour de la cuisine brésilienne, turque ou indienne, ou pour des rythmes de salsa, 18th Street NW et Columbia Road sauront vous satisfaire.

Cafés et restos

(voir carte p. 87)

Dupont Circle

Firehook Bakery $ [17]
1909 Q St. NW, angle Connecticut Ave.,
202-429-2253, www.firehook.com
Voir description p. 66.

Java House $ [18]
1645 Q St. NW, angle 17th St., 202-387-6622,
www.javahousedc.net

Torréfié sur place, le café de la Java House fera le bonheur des amateurs de ce nectar. La grande terrasse, joliment fleurie et très ensoleillée, en fait une adresse agréable pour prendre le petit déjeuner. La décoration de la salle intérieure est toutefois plutôt impersonnelle.

Luna Grill and Diner $ [24]
1301 Connecticut Ave. NW, 202-835-2280,
www.lunagrillanddiner.com

Vous pouvez également prendre votre petit déjeuner au Luna Grill and Diner. Des brunchs y sont en plus proposés les fins de semaine. Le menu affiche aussi des hamburgers, des salades, des pâtes et plusieurs plats de viande.

MStreet Bar & Grill $ [26]
St. Gregory Luxury Hotel & Suites, 2022 M St. NW, 202-530-3621, www.mstreetdc.com

Au sein de l'hôtel **St. Gregory** (voir p. 143) se trouve ce très joli petit café à l'intérieur design et aux tons ocre, bruns et noirs. Au menu, des mets d'un peu partout dans le monde, entre autres un cari de crevettes, un sandwich au poulet *chipotle* et une entrée d'hoummos. C'est une adresse très agréable que l'on apprécie encore plus lors des beaux jours grâce à sa belle terrasse.

The Mudd House $ [31]
1724 M St. NW, 822-8455

Pour prendre un petit déjeuner sur le pouce dans le quartier de Dupont Circle, vous pouvez vous rendre à The Mudd House, un petit établissement offrant à la fois confort et atmosphère détendue, où vous trouverez cafés, thés, muffins, brioches et autres gâteaux.

Daily Grill $-$$ [14]
1200 18th St. NW, 202-822-5282,
www.dailygrill.com

Le Daily Grill est très prisé le midi par les fonctionnaires et autres jeunes professionnels qui travaillent dans les bureaux avoisinants. La décoration, un peu vieillotte, confère à ce restaurant une allure de brasserie des années 1930. Soupes, salades, hamburgers et grillades sont au menu. Brunchs la fin de semaine.

DGS Delicatessen $-$$ [15]
1317 Connecticut Ave. NW, 202-293-4400,
www.dgsdelicatessen.com

On est loin du classique *delicatessen* ici : il s'agit plutôt d'une sandwicherie branchée. Le menu affiche entre autres du pastrami et de la langue de bœuf. Avec son décor moderne et épuré, c'est une bonne halte pour casser la croûte.

Sign of the Whale $-$$ [28]
1825 M St. NW, 202-785-1110,
www.signofthewhaledc.com

Le Sign of the Whale, situé dans une vieille demeure, fait à la fois office de petit restaurant et de pub. Sa décoration intérieure, toute de bois verni, rappelle un pub irlandais. L'établissement est réputé pour ses brunchs de fin de semaine. Le reste du temps, vous pourrez y manger

Dupont Circle et Adams Morgan

des salades, des hamburgers et autres sandwichs.

Thai Chef & Sushi $-$$ [29]
1712 Connecticut Ave. NW, 202-234-5698, www.thaichefsushibardc.com

Aux amateurs de cuisine épicée, le Thai Chef propose une grande variété de soupes et de plats de viande et de fruits de mer plus ou moins relevés. Les amateurs de sushis seront aussi rassasiés.

ThaiPhoon Restaurant $-$$ [30]
2011 S St. NW, 202-667-3505, www.thaiphoon.com

Situé au cœur du quartier de Dupont Circle, le ThaiPhoon Restaurant sert une cuisine thaïlandaise de bonne qualité. Réservations recommandées.

Kramerbooks & Afterwords Cafe $-$$$ [20]
1517 Connecticut Ave. NW, 202-387-1400, www.kramers.com

Le Kramerbooks & Afterwords Cafe est un autre établissement où il est possible de prendre son petit déjeuner. Il est doté d'une jolie terrasse bien aménagée. Le midi, on sert quelques sandwichs, des salades et des soupes, alors qu'en soirée le menu devient plus élaboré (pâtes, grillades, fruits de mer).

Bua Thai Cuisine Restaurant & Bar $$ [13]
1635 P St. NW, 202-265-0828, www.buathai.com

Le Bua Thai Cuisine Restaurant & Bar sert une excellente cuisine thaïlandaise. La décoration intérieure et extérieure n'est pas très recherchée, mais vous y mangerez très bien, et à un prix raisonnable. Petite terrasse en saison.

La Tomate $$ [21]
1701 Connecticut Ave. NW, angle R St., 202-667-5505, www.latomatebistro.com

Le charme du décor de La Tomate, jumelé à sa très bonne sélection de plats de pâtes, en fait l'une des bonnes adresses de Dupont Circle. Ne manquez pas le «bar à prosciutto». Il est préférable de réserver.

Annie's Paramount Steakhouse $$-$$$ [11]
1609 17th St. NW, 202-232-0395, www.anniesdc.com

Devinez ce que l'on sert, dans un intérieur qui brille par son impersonnalité, chez Annie's Paramount Steakhouse? Du bœuf, évidemment! Et comme dans tout bon *steakhouse* américain qui se respecte, il est excellent et offert dans une variété de coupes qui défie l'imagination.

Bistrot Du Coin $$-$$$ [12]
1738 Connecticut Ave. NW, 202-234-6969, www.bistrotducoin.com

À peine le pas de la porte franchi, on se croirait presque en France au Bistrot Du Coin. De vieilles affiches publicitaires de produits français égaient çà et là les murs jaunes, tandis qu'un magnifique comptoir en bois massif se dresse sur le côté de la pièce. Le menu affiche magret de canard, cassoulet, moules et steak frites.

La Tomate.

🏅 Raku $$-$$$ [27]
1900 Q St. NW, 202-265-7258,
www.rakuasiandining.com

Le restaurant Raku est l'une de nos adresses préférées du quartier de Dupont Circle. On y propose un menu qui puise ses saveurs dans les cuisines japonaise, thaïlandaise, vietnamienne et malaise, ce qui n'est pas banal. Dans un intérieur sobre et dénudé, où le niveau sonore peut toutefois atteindre des sommets, vous dégusterez une cuisine naturelle et délicieuse.

🏅 Estadio $$$ [16]
1520 14th St. NW, 202-319-1404,
www.estadio-dc.com

Dans un magnifique décor où s'allient à merveille le bois et le fer forgé, l'Estadio sert une savoureuse cuisine espagnole sous forme de tapas toutes bien apprêtées. Ama-

teur de gin, ne manquez pas de goûter à l'un de leurs gin tonics faits avec du tonic agrémenté de fleur de sureau, d'estragon et de basilic, ou d'orange et de thym. Délicieux!

Le Diplomate $$$ [22]
1601 14th St. NW, 202-332-3333,
www.lediplomatedc.com

Ce bistro français sert une bonne cuisine française dans une atmosphère plutôt bruyante. Sole meunière, bouillabaisse, bœuf bourguignon et autres classiques de l'Hexagone sont au menu. Les brunchs de fin de semaine sont courus. Terrasse en saison.

Morton's of Chicago Steakhouse $$$-$$$$ [25]
1050 Connecticut Ave. NW, Washington Square, 202-955-5997, www.mortons.com

Le Morton's of Chicago Steakhouse est une adresse où le bœuf est à l'honneur. Simplement décorée, la salle de ce restaurant offre, au moyen d'un bel éclairage tamisé, une atmosphère agréable et chaleureuse. Bien que la spécialité de l'établissement soit le steak, vous pourrez également déguster d'excellentes assiettes d'agneau ainsi que du homard du Maine.

Vidalia $$$-$$$$ [32]
1990 M St. NW, 202-659-1990,
www.vidaliadc.com

Situé en sous-sol, le restaurant Vidalia prépare une très bonne cuisine américaine qui demeure cependant relativement chère. Avec ce nom, il n'est pas surprenant que l'ingrédient roi de l'endroit soit l'oignon Vidalia. Les plats sont harmonieusement présentés.

Komi $$$$ [19]
1509 17th St. NW, 202-332-9200,
www.komirestaurant.com

Il vous faudra impérativement réserver pour goûter aux délices du restaurant Komi. On y propose un menu dégustation qui vaut vraiment son pesant d'or. Foie gras, oursin et pieuvre sont quelques-uns des mets que vous aurez peut-être la chance de savourer. Une table résolument à part!

Little Serow $$$$ [23]
1511 17th St. NW, www.littleserow.com

Il faut s'armer de patience pour avoir une table au Little Serow. En plus de n'offrir que 28 places, le restaurant n'accepte aucune réservation. Il faut donc s'y présenter idéa-

lement une heure avant l'ouverture à 17h30. Aucun menu ici, on mange le repas sept services pré-établi par le chef et présenté sur le site Internet du restaurant. Les mets servis sont inspirés de la cuisine thaïlandaise et sont d'une créativité exceptionnelle. L'une des adresses les plus originales de Washington.

Adams Morgan

Tryst $ [39]
2459 18th St. NW, 202-232-5500,
www.trystdc.com

Le Tryst est fréquenté par une clientèle jeune composée principalement d'étudiants. Le menu affiche cafés, pâtisseries, muffins, gaufres, salades et sandwichs.

Jyoti Indian Cuisine $-$$ [33]
2433 18th St. NW, 202-518-5892,
www.jyotidc.com

Jyoti Indian Cuisine est une adresse sympathique où l'on sert une savoureuse cuisine indienne, entre autres des crevettes tandouries et des spécialités végétariennes. Une petite terrasse donne sur la rue.

Rumba Cafe $-$$ [37]
2443 18th St. NW, 202-588-5501,
www.rumbacafe.com

En lisant le simple nom de ce restaurant, on peut déjà imaginer l'ambiance survoltée, très latino-américaine, qui y règne. La salle du restaurant est certainement haute en couleur: pièces d'artisanat, photos et instruments de musique latinos y sont exposés pour le plus grand plaisir des yeux. Plusieurs classiques de la cuisine latine (*ropa vieja*, *choripán*, *chivito…*) y sont servis.

Mezè $$ [35]
2437 18th St. NW, 202-797-0017,
www.mezedc.com

Le Mezè propose à sa clientèle une cuisine turque présentée sous forme de mezzés, soit des plats servis en petites portions (comme les tapas espagnoles). Son ambiance est agréable et détendue.

Perry's $$-$$$ [36]
1811 Columbia Rd. NW, 202-234-6218,
www.perrysadamsmorgan.com

C'est un curieux mélange de cuisines américaine et japonaise qui est préparé chez Perry's. L'établissement ne paie pas de mine de l'extérieur, et pourtant, la cuisine que l'on y apprête est tout à fait originale et délicieuse. Vous pourrez apprécier les sushis, frais et excellents, à moins que vous ne préfériez goûter au steak frites avec réduction de miso. Le brunch du weekend, animé par une *drag queen* le dimanche, est très populaire.

Soussi $$-$$$ [38]
2228 18th St. NW, 202-299-9314

Les amateurs de cuisine marocaine apprécieront ce sympathique restaurant. Le couscous et le tajine sont évidemment de mise, mais le Soussi est également réputé pour ses calmars frits. Il est aussi possible d'y fumer la chicha. Une excellente adresse à prix abordable. Réservations fortement conseillées.

Komi.

La Fourchette $$$ [34]
2429 18th St. NW, 202-332-3077

Semblable à un café parisien, ce charmant petit restaurant présente un intérieur quelque peu rustique. La bouillabaisse, servie en portions généreuses, et les moules provençales, préparées dans un beurre à l'ail, sont délicieuses.

Bars et boîtes de nuit *(voir carte p. 87)*

Dupont Circle

Churchkey [40]
1337 14th St. NW, 202-567-2576,
www.churchkeydc.com

Affichant plus de 550 bières différentes à son menu (surtout de microbrasseries américaines, mais aussi d'ailleurs dans le monde), Churchkey est l'endroit à Washington où se désaltérer avec une bonne bière fraîche.

Dirty Martini [41]
1223 Connecticut Ave. NW, 202-503-2640, www.dirtymartinidc.com

Chez Dirty Martini, vous pourrez boire un cocktail dans une ambiance sophistiquée. On peut aussi y manger.

Fireplace [42]
angle 22nd St. et P St. NW, métro Dupont Circle, 202-293-1293, www.fireplacedc.com

Le Fireplace est un bar gay qui s'étend sur deux étages. Les cinq à sept sont particulièrement populaires.

Lucky Bar [43]
1221 Connecticut Ave. NW, 202-331-3733, www.luckybardc.com

La clientèle du Lucky Bar y vient surtout pour voir les différents matchs de sport sur ses écrans géants. Le menu affiche les classiques de ce genre d'établissement.

New Vegas Lounge [44]
1415 P St. NW, 202-483-3971, www.newvegasloungedc.com

Vous pourrez écouter au New Vegas Lounge de très bons groupes de blues.

Adams Morgan

Angles Bar & Billiards [45]
2339 18th St. NW, 202-462-8100

L'Angles, un bar à la décoration très simple, permet de jouer au billard tout en écoutant de la musique.

Columbia Station [46]
2315 18th St. NW, 202-462-6040, www.columbiastationdc.com

La Columbia Station accueille chaque soir un orchestre de jazz. Le menu affiche des *nachos*, des salades, des pizzas, des hamburgers et des pâtes.

Madam's Organ [47]
2461 18th St. NW, 202-667-5370, www.madamsorgan.com

Plus qu'une tradition, Madam's Organ, situé dans le quartier d'Adams Morgan, est une véritable institution qu'il serait dommage de rater. Groupes de jazz et de blues s'y succèdent chaque soir, et le droit d'entrée varie selon l'orchestre. Ce bar presque mythique propose également à ses clients quelques mets pour se restaurer.

Lèche-vitrine
(voir carte p. 87)

Alimentation

Chocolate Chocolate [49]
1130 Connecticut Ave. NW, Dupont Circle, 202-466-2190, www.chocolatedc.com

Voilà une adresse pour les gourmands! La boutique Chocolate Chocolate est bien évidemment spécialisée dans le chocolat. On peut s'y procurer aussi bien les créations de grandes maisons (Michel Cluizel, Laderach, entre autres), que celles produites sur place.

National Geographic Museum Store.

Cadeaux et souvenirs

National Geographic Museum Store [51]

1145 17th St. NW, www.ngmuseum.org

La boutique du National Geographic Museum est remplie de souvenirs à l'effigie de la célèbre organisation, en plus des magazines et des documentaires en DVD.

Librairie

Kramerbooks and Afterwords Cafe [50]

1517 Connecticut Ave. NW, Dupont Circle, 202-387-1400, www.kramers.com

Il est toujours agréable de s'arrêter quelques instants dans une librairie qui fait également office de café (voir p. 92). Ainsi, au Kramer-books and Afterwords Cafe, vous pourrez bouquiner tout en dégustant une tasse de café avec différentes bouchées.

Vêtements

Brooks Brothers [48]

1201 Connecticut Ave. NW, 202-659-4650, www.brooksbrothers.com

Brooks Brothers propose des vêtements BCBG pour hommes et pour femmes. Autre adresse à Georgetown (3077 M St. NW).

Violet Boutique [52]

2439 18th St., 202-621-9225, www.violetdc.com

Située dans le quartier d'Adams Morgan, la Violet Boutique vend des vêtements originaux pour femmes.

Dupont Circle et Adams Morgan

6 ↘

Foggy Bottom

À voir, à faire

(voir carte p. 101)

Le quartier de **Foggy Bottom** ★ doit son surnom au brouillard qui s'élève du fleuve Potomac et aux émanations des industries de gaz et des brasseries qui s'y trouvaient encore au début du siècle dernier. La George Washington University, construite en 1912 près de Washington Circle, au sud de Pennsylvania Avenue, changea quelque peu l'aspect de ce secteur de la ville, lui conférant une atmosphère estudiantine.

C'est au milieu du XXᵉ siècle que le Foggy Bottom commença à attirer un certain nombre de ministères et les sièges sociaux de plusieurs entreprises, à mesure que les usines et les installations de stockage du gaz fermèrent leurs portes. Ainsi, en 1947, le State Departement emménagea dans de tout nouveaux locaux, vastes mais austères, à l'angle de 23rd Street et de D Street. Aujourd'hui, la population des alentours se compose d'un mélange de professionnels, d'ouvriers, de fonctionnaires et d'étudiants.

John F. Kennedy Center for the Performing Arts ★ [1]

visites guidées lun-ven 10h à 17h, sam-dim 10h à 13h; 2700 F St. NW, métro Foggy Bottom, 202-467-4600 ou 800-444-1324, www.kennedy-center.org

En dépit des critiques adressées à l'architecture du bâtiment et de son emplacement, le John F. Kennedy Center for the Performing Arts a sans conteste largement contribué à donner à Washington une vie culturelle de réputation internationale. Quoi qu'en aient pensé ces détracteurs de l'époque, tout le monde s'accorde aujourd'hui pour

Watergate Complex.

reconnaître aux cinq théâtres qu'il abrite une acoustique exceptionnelle.

Empruntez New Hampshire Avenue NW à gauche, puis tournez à gauche dans Virginia Avenue NW.

Watergate Complex [2]
2500-2700 Virginia Ave. NW, métro Foggy Bottom

En face du centre culturel se trouve un complexe immobilier à l'architecture caractéristique. Il s'agit du Watergate, rendu mondialement célèbre au lendemain des événements qui s'y déroulèrent dans la nuit du 17 juin 1972 et du scandale qui causa la chute du président Nixon (voir l'encadré p. 102).

Prenez New Hampshire Avenue NW à gauche, puis tournez à droite dans H Street, que vous suivrez jusqu'à 23rd Street.

St. Mary's Episcopal Church [3]
728 23rd St. NW, métro Foggy Bottom, www.stmarysfoggybottom.org

La St. Mary's Episcopal Church est une église qui fut construite en 1887 pour la population noire qui vivait dans ce quartier. À l'origine dénommée «St. Mary's Chapel for Colored People», cette assemblée de fidèles tient une place importante dans l'histoire ecclésiastique afro-américaine en ce qu'elle fut la première église épiscopale noire de Washington. L'édifice arbore de beaux vitraux exécutés en France qui représentent saint Cyprien et saint Simon le Cyrénéen.

Prenez G Street à gauche et rendez-vous à 21st Street NW.

Foggy Bottom

À voir, à faire ★

1.	AY	John F. Kennedy Center for the Performing Arts
2.	AX	Watergate Complex
3.	BX	St. Mary's Episcopal Church
4.	CX	The Textile Museum

Cafés et restos ●

5.	BW	Blue Duck Tavern
6.	BW	Circle Bistro
7.	BW	Marcel's
8.	CW	The Prime Rib

Salles de spectacle ◆

| 9. | AY | John F. Kennedy Center for the Performing Arts |

Lèche-vitrine ■

| 10. | AX | Watergate Gallery and Frame Design |

Hébergement ▲

11.	BW	Fairmont Washington, D.C., Georgetown
12.	CX	Hotel Lombardy
13.	BW	One Washington Circle Hotel
14.	BX	The George Washington University Inn
15.	BW	The Ritz-Carlton, Washington D.C.

The Textile Museum ★ [4]
ouverture prévue pour l'automne 2014; George Washington University, 21st St. NW, angle G St., métro Foggy Bottom, 202-667-0441, www.textilemuseum.org

Le Textile Museum, un petit musée fondé par George Hewitt Myers en 1925, présente une incroyable collection de près de 20 000 pièces tissées et de 1 800 tapis orientaux. Tout en mettant l'accent sur les beautés des œuvres exposées, ce musée explique aux visiteurs les contextes historiques et culturels dans lesquels elles furent fabriquées. Situé dans le quartier de Dupont Circle jusqu'en 2013, le musée emménagera dans un nouveau bâtiment de la George Washington University en 2014.

Cafés et restos

(voir carte p. 101)

Circle Bistro $$-$$$ [6]
One Washington Circle Hotel, 1 Washington Circle NW, 202-293-5390, www.circlebistro.com

Le Circle Bistro sert une nouvelle cuisine américaine d'inspiration méditerranéenne. Le menu fait place au poisson, au lapin, à l'agneau, au canard et au bœuf, avec des plats présentés avec soin. Le service est courtois, empressé, mais pas du tout envahissant. Réserver serait plus prudent.

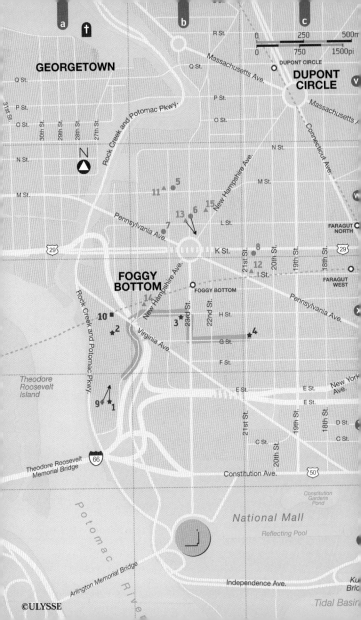

b

c

R St.

Massachusetts Ave.

Q St.

0   250   500m

0   750   1500pi

DUPONT CIRCLE

GEORGETOWN

**DUPONT
CIRCLE**

V

Q St.

Massachusetts Ave.

P St.

31st St.

30th St.

29th St.

28th St.

27th St.

Q St.

P St.

O St.

Rock Creek and Potomac Pkwy.

Connecticut Ave.

N St.

N St.

N

New Hampshire Ave.

M St.

W

M St.

M St.

11 ▲ ● 5

FARAGUT
NORTH **O**

Pennsylvania Ave.

13 ▲ ● 6 ▲ 15

L St.

New Hampshire Ave.

7 ●

K St.

29

8 ▲

21st St.

20th St.

19th St.

18th St.

29

**FOGGY
BOTTOM**

12 ■

I St.

FARAGUT
WEST

New Hampshire Ave.

FOGGY BOTTOM **O**

Pennsylvania Ave.

14 ▲

H St.

X

23rd St.

22nd St.

10 ■

★ 3

★ 4

G St.

★ 2

Virginia Ave.

Rock Creek and Potomac Pkwy.

F St.

*Theodore
Roosevelt
Island*

E St.

E St.

New York Ave.

E St.

9 ★ ★ 1

21st St.

19th St.

18th St.

D St.

C St.

C St.

66

*Theodore Roosevelt
Memorial Bridge*

20th St.

Constitution Ave.

50

*Constitution
Gardens
Pond*

National Mall

P o t o m a c

Reflecting Pool

Arlington Memorial Bridge

Ku
Bric

R i v e r

Tidal Basin

©ULYSSE

Independence Ave.

Le scandale du Watergate

Nombreux sont les livres, les articles et les films consacrés à l'un des plus grands scandales qu'ait connus l'Amérique et qui provoqua la chute du président Nixon.

Dans la nuit du 17 juin 1972, au sixième étage du 2600 Virginia Avenue, un petit groupe de cambrioleurs professionnels, mandaté par les dirigeants du comité pour la réélection du président Nixon, s'introduisit dans les bureaux du Comité national démocrate afin d'y trouver des documents permettant de discréditer leur opposant démocrate, le sénateur George McGovern. Dans leur malchance, un garde de sécurité, soupçonnant un cambriolage en cours, alerta la police.

Lorsque la police arriva sur les lieux, elle surprit en flagrant délit les auteurs de cette effraction en possession de matériel d'espionnage sophistiqué ainsi que d'une importante somme d'argent en petites coupures. Nixon et son entourage ayant essayé de faire pression sur le FBI pour faire cesser son enquête, l'affaire ne fut rendue publique que quelques jours plus tard. Dans les années qui ont suivi, les enquêtes successives et les pressions juridiques et politiques obligèrent plus de deux ans plus tard le président Nixon à fournir à la justice les bandes enregistrées de ses conversations du 23 juin 1972 à la Maison-Blanche. Le contenu de ces dernières ne laissait planer aucun doute quant à la complicité du président dans cette sale affaire. Les conversations incriminantes rendues publiques, Richard Nixon démissionna dans les jours qui suivirent.

Blue Duck Tavern $$$-$$$$ [5]
Park Hyatt Washington, 1201 24th St. NW, 202-419-6755, www.blueducktavern.com

Si vous désirez savourer, comme l'ont fait Barack et Michelle Obama lors de leur 17e anniversaire de mariage, une délicieuse cuisine du marché tout en finesse, dirigez-vous vers la Blue Duck Tavern. Elle n'a de taverne que le nom, car les mets qu'on y sert sont tout à fait raffinés. On vous indiquera d'ailleurs la provenance des produits utilisés. Décor épuré où la cuisine est à aire ouverte. Service impeccable. Réservations recommandées. Agréable terrasse.

The Prime Rib $$$-$$$$ [8]
2020 K St. NW, 202-466-8811, www.theprimerib.com

Qui s'attendrait à devoir s'habiller avec élégance pour déguster un steak? C'est pourtant ce qu'il

John F. Kennedy Center for the Performing Arts.

convient de faire pour s'attabler au Prime Rib, un des hauts lieux de la *jet society* de Washington. Au menu, la *prime rib* (côte de bœuf), absolument délicieuse et juteuse à souhait, est reine.

Marcel's $$$$ [7]
2401 Pennsylvania Ave., 202-296-1166, www.marcelsdc.com

Marcel's concocte une cuisine gastronomique française et belge. On a le choix entre quatre à sept services, selon son budget et son appétit. Le tout est bien apprêté et savoureux. Vaste carte des vins.

Salles de spectacle
(voir carte p. 101)

John F. Kennedy Center for the Performing Arts [9]
2700 F St. NW, 202-467-4600 ou 800-444-1324, www.kennedy-center.org

De nombreux concerts de musique classique sont présentés au John F. Kennedy Center for the Performing Arts. Tous les soirs à 18h, on peut assister à un concert gratuit au Millennium Stage, notamment des chorales d'enfants ainsi que de la musique de chambre.

Lèche-vitrine
(voir carte p. 101)

Galerie d'art

Watergate Gallery and Frame Design [10]
2552 Virginia Ave. NW, 202-338-4488, www.watergategalleryframedesign.com

Cette galerie présente le travail d'artistes locaux et internationaux.

Shaw et Columbia Heights

7 ⬂

Shaw et Columbia Heights

À voir, à faire
(voir carte p. 107)

Autrefois boudés par les touristes, les quartiers de **Shaw** et de **Columbia Heights** sont aujourd'hui des endroits «à la mode» où il est agréable de sortir manger et danser. Jadis appelée «Black Broadway» pour son grand nombre de salles de spectacle, U Street est encore aujourd'hui un lieu important pour la communauté afro-américaine de Washington. C'est à l'angle de U Street et de 14th Street que se déroulèrent les émeutes raciales à la suite de l'assassinat du Dr. Martin Luther King Jr., qui tuèrent une dizaine de personnes et menèrent à plusieurs milliers d'arrestations.

Le circuit débute à l'African American Civil War Memorial & Museum, sur Vermont Avenue.

African American Civil War Memorial & Museum [1]
entrée libre; mar-ven 10h à 18h30, sam 10h à 16h, dim 12h à 16h; 1925 Vermont Ave. NW, métro U Street, 202-667-2667, www.afroamcivilwar.org

L'African American Civil War Memorial & Museum met en exergue la participation des soldats afro-américains lors de la guerre de Sécession (1861-1865) ainsi que leur rôle dans l'abolition de l'esclavage aux États-Unis.

Rejoignez U Street au nord et tournez à gauche.

U Street ★ [2]
Cette rue très animée regroupe plusieurs institutions de la communauté afro-américaine. S'y trouvent également de nombreuses boutiques et plusieurs restaurants de qualité. Lors de votre passage, ne manquez

Meridian Hill Park.

pas d'aller casser la croûte chez **Ben's Chili Bowl** (voir p. 108), une institution à Washington.

Poursuivez dans U Street jusqu'à 15th Street, que vous prendrez à droite.

Meridian Hill Park ★ [3]
entrée libre; du lever au coucher du soleil; bordé par 16th St. NW, Euclid St. NW, 15th St. NW et W St. NW, www.nps.gov/mehi
Par une belle journée estivale, il est agréable de se rendre au Meridian Hill Park pour profiter de l'ombre et des fontaines.

Prenez 16th Street NW vers le nord jusqu'à l'angle de Columbia Road.

À ce carrefour, deux imposants édifices se font face. Il s'agit de l'**All Souls Church Unitarian ★** [4] *(1500 Harvard St. NW, www.*

all-souls.org), dont l'architecture reproduit celle de l'église St Martin-in-the-Fields de Londres, et d'une ancienne chapelle appartenant désormais à l'**Unification Church of Washington** [5] *(1610 Columbia Rd. NW)*.

National Baptist Memorial Church ★ [6]
1501 Columbia Rd. NW, www.nbmchurchdc.org
Un peu plus loin sur Columbia Road se trouve la National Baptist Memorial Church, dont la tour est représentative de l'architecture de la fin du XVIIe siècle. L'église remonte plutôt aux années 1920-1930.

Revenez à 16th Street NW, que vous emprunterez vers le nord, puis tournez à gauche dans Mt. Pleasant Street NW.

Shaw et Columbia Heights

Columbia Heights.

Shaw et Columbia Heights

À voir, à faire ★

1.	CY	African American Civil War Memorial & Museum
2.	BY	U Street
3.	AY	Meridian Hill Park
4.	AW	All Souls Church Unitarian
5.	AX	Unification Church of Washington
6.	AW	National Baptist Memorial Church
7.	AW	Mt. Pleasant Street

Cafés et restos ●

8.	BY	Ben's Chili Bowl
9.	BZ	Doi Moi
10.	BY	Izakaya Seki

Bars et boîtes de nuit ☽

11.	CY	Brixton
12.	BY	Marvin

Salles de spectacle ◆

13.	CY	9 :30 Club
14.	BZ	Black Cat
15.	BY	Lincoln Theatre
16.	CZ	The Howard Theatre

Lèche-vitrine ■

17.	AY	Junction Vintage
18.	BZ	Redeem

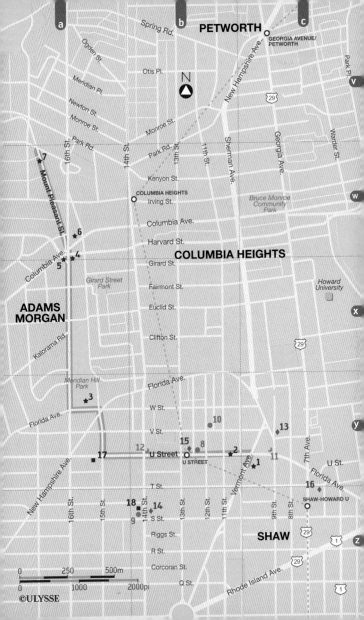

Shaw et Columbia Heights

Ben's Chili Bowl.

Mt. Pleasant Street [7]

La rue Mt. Pleasant est située au cœur du quartier de Columbia Heights. S'y trouvent, entre Kenyon Street et Park Road, des restaurants et des boutiques en tout genre.

Cafés et restos

(voir carte p. 107)

⭐ Ben's Chili Bowl $ [8]
1213 U St. NW, 202-667-0909,
www.benschilibowl.com

Depuis 1958, on vient d'un peu partout aux États-Unis (et même de la Maison-Blanche, comme en témoignent plusieurs photos) pour déguster le célèbre *chili half-smoke*, un hot-dog sur lequel on ajoute de la sauce chili maison. Le tout est dégoulinant de sauce et on en redemande! Ambiance familiale et bon enfant. Dans l'édifice voisin, à l'étage, se trouve la boutique de souvenirs du restaurant.

Doi Moi $-$$ [9]
1800 14th St. NW, 202-733-5131,
www.doimoidc.com

Doi Moi sert, dans un splendide décor épuré, une bonne cuisine du Sud-Est asiatique qui favorise les mets vietnamiens et thaïlandais. On ne peut pas dire que tout est authentique, mais les saveurs sont au rendez-vous.

Izakaya Seki $$-$$$ [10]
1117 V St. NW, 202-588-5841, www.sekidc.com

Ce bistro japonais propose d'excellents plats méticuleusement préparés. La cuisine est authentique, mais il n'y a pas de sushi. Service sympathique.

Bars et boîtes de nuit (voir carte p. 107)

Brixton [11]
901 U St. NW, 202-560-5045,
www.brixtondc.com

Ce pub typiquement anglais offre un bon choix de bières. Agréable terrasse sur le toit.

Marvin [12]
2007 14th St. NW, 202-797-7171,
www.marvindc.com

Pour une soirée réussie, prenez place sur la terrasse située sur le toit du Marvin avec une bonne bière belge.

Black Cat.

Salles de spectacle
(voir carte p. 107)

9:30 Club [13]
815 V St., 202-265-0930, www.930.com
Salle mythique de la scène musicale punk de Washington pendant les années 1980, le 9:30 Club propose aujourd'hui des concerts de musique de tous genres.

Black Cat [14]
1811 14th St. NW, 202-667-4527,
www.blackcatdc.com
On peut y voir des concerts de groupes *indie* et punk.

Lincoln Theatre [15]
1215 U St. NW, 202-328-6000,
www.thelincolndc.com
Le Lincoln Theatre présente tantôt des spectacles de danse ou de musique, tantôt de jeunes comédiens qui montent sur scène pour y jouer leurs sketchs comiques.

The Howard Theatre [16]
620 T St. NW, 202-803-2899,
www.thehowardtheatre.com
L'historique Howard Theatre produit des spectacles en majorité offerts par des artistes afro-américains.

Lèche-vitrine
(voir carte p. 107)

Vêtements

Junction Vintage [17]
1510 U St. NW, 202-483-0261,
www.junctionwdc.com
Cette boutique vend de jolis vêtements vintage d'occasion.

Redeem [18]
1810 14th St. NW, 202-332-7447,
www.redeemus.com
Vous pourrez vous procurer chez Redeem des vêtements de designers établis ou émergents.

8 ↘

Georgetown

À voir, à faire
(voir carte p. 113)

Georgetown ★★★ se présente sous l'aspect d'un charmant quartier à l'atmosphère doucement coloniale où l'intelligentsia et les hauts fonctionnaires se sont installés. De nombreuses galeries d'art, ainsi que de belles boutiques et des restaurants, y ont pignon sur rue. Georgetown n'est pas desservie par le métro, et l'étroitesse de ses rues ainsi que le manque de stationnement font qu'il est préférable de s'y promener à pied. Pour le lèche-vitrine, M Street et Wisconsin Avenue sont très agréables.

Pour vous rendre à Georgetown au départ du centre-ville, vous pouvez utiliser les autobus nos 32 ou 36, de même que les autobus de la ligne jaune Georgetown-Union Station.

Chesapeake & Ohio Canal National Historical Park ★ [1]
au sud de M St., entre 30th St. NW et Thomas Jefferson St. NW,
www.nps.gov/nr/travel/wash/dc6.htm

Le **C&O Canal** est l'un des canaux les mieux conservés des États-Unis. En 1828, le projet de construction du Chesapeake & Ohio Canal était de relier les vallées fertiles de l'ouest à celles de l'est par une voie de navigation qui permettrait l'acheminement des marchandises. Mais le temps que l'on creuse les 230 premiers kilomètres, la création d'une ligne de chemin de fer reliant Baltimore à l'Ohio avait supplanté le grand projet. Aujourd'hui, le chemin de halage qu'empruntaient autrefois les chevaux qui tiraient les péniches constitue une charmante petite promenade où vous pourrez admirer les écluses.

Georgetown.

Empruntez Thomas Jefferson Street vers le sud pour traverser le canal et atteindre le bord du fleuve Potomac.

Washington Harbour ★ [2]
3050 K St. NW, www.thewashingtonharbour.com

Le Washington Harbour se trouve aux abords du Potomac, sur K Street entre 30th Street NW et 31st Street NW. Le site compte un quai, une place avec une fontaine, une promenade et un complexe réunissant des bureaux, des copropriétés et des commerces, dont d'excellents restaurants. La place et la promenade offrent une très jolie vue sur le Potomac, le John F. Kennedy Center for the Performing Arts et les côtes verdoyantes de la Theodore Roosevelt Island. De nombreux Washingtoniens viennent amarrer leur bateau au quai et déjeuner sur l'agréable place, où en hiver, une patinoire est aménagée.

Empruntez Wisconsin Avenue vers le nord.

Grace Episcopal Church [3]
1041 Wisconsin Ave. NW, www.gracedc.org

Au fond d'une petite cour cachée derrière de grands arbres se dresse la Grace Episcopal Church, charmante petite église de style néogothique qui date de 1866. Elle fut construite pour servir de mission aux bateliers du canal C&O.

Retraversez le canal et poursuivez jusqu'à M Street.

M Street ★ [4]

En vous promenant le long de M Street, la rue principale de Georgetown, vous passerez devant un certain nombre de restaurants et de

Georgetown

À voir, à faire ★

Cafés et restos ●

Bars et boîtes de nuit ♪

Lèche-vitrine ■

Hébergement ▲

petites boutiques qui proposent aux visiteurs toutes sortes de souvenirs, des simples t-shirts aux objets anciens, sans oublier les tableaux des nombreuses galeries d'art.

The Shops at Georgetown Park [5]

M St. entre Wisconsin Ave. et Potomac Ave.

En visitant les Shops at Georgetown Park, vous verrez comment les bâtiments qui abritaient jadis des garages, des commerces et des quincailleries ont été intégrés à un nouvel ensemble pour créer ce grand centre commercial joliment aménagé (voir p. 122), avec verrières et éléments décoratifs en fonte. Parmi les structures historiques incluses dans ce centre figure l'un des premiers marchés publics de Washington.

Old Stone House ★ [6]

entrée libre; mer-dim 12h à 17h; 3051 M St. NW, 202-895-6000, www.nps.gov/olst

L'Old Stone House est la construction la plus ancienne de Georgetown et de Washington qui existe encore de nos jours. Bâtie en 1765, elle abrite aujourd'hui un petit musée qui témoigne du style de vie rustique que menaient ses habitants à l'époque. L'architecture de cette petite maison en pierre est typique des demeures qui furent construites par les colons européens venus s'installer dans le Nouveau Monde.

Tournez à gauche dans 30th Street afin de vous diriger vers le nord de la ville.

N Street ★ [7]

Deux rues plus loin, on débouche sur une des plus jolies rues de Georgetown: N Street. Là, directement sur la gauche, se dresse la **Laird-Dunlop House** [8] *(on ne visite pas; 3014 N St. NW)*, construite en 1799. En face, au **3017 N Street** [9], se trouve une autre jolie maison construite dans les années 1790. Cette demeure accueillit pendant quelque temps Jacqueline Bouvier Kennedy, qui y séjourna en 1963 après la mort de son mari, le président John F. Kennedy.

Revenez sur vos pas vers l'est et prenez 29th Street vers le nord.

Mount Zion United Methodist Church [10]

1334 29th St. NW, www.mtzionumcdc.org

La Mount Zion United Methodist Church serait la première congrégation noire à avoir été créée dans le district de Columbia. À l'origine, en 1814, la congrégation s'était fait construire une petite église dans 27th Street, à l'angle de P Street, mais elle fut détruite lors d'un incendie. Le bâtiment de briques rouges, érigé en 1884, qui se dresse aujourd'hui dans 29th Street, est une construction plus imposante que l'ancienne petite église. Son plafond en métal embossé est assez particulier.

Old Stone House.

Continuez vers l'ouest par Dumbarton Street, qui devient O Street après Wisconsin Avenue.

St. John's Episcopal Church [11]
3240 O St. NW, angle Potomac St., www.stjohnsgeorgetown.org

La St. John's Episcopal Church a été bâtie entre 1796 et 1804 par l'architecte William Thornton, celui-là même qui travailla à l'édification du **Capitole** (voir p. 28) et à qui l'on doit également l'**Octagon House** (voir p. 65). Par manque de fonds, l'église fut néanmoins abandonnée en 1831. C'est alors que William Corcoran, le fondateur de la **Corcoran Gallery of Art** (voir p. 63), en philanthrope qu'il était, acheta l'édifice en 1837 avant de le revendre à l'Église épiscopalienne quelques années plus tard.

Descendez Potomac Street vers le sud pour revenir sur N Street, que vous prendrez à droite.

Smith Row ★ [12]
3255-3263 N St. NW

Formée de cinq maisons de style fédéral, Smith Row fut construite dans les années 1815. Ces bâtiments se distinguent par leurs fenêtres mansardées et leurs portes d'entrée surélevées auxquelles on accède par de petits escaliers. Un peu plus loin, c'est au **3307 N Street** [13] que les époux Kennedy vécurent de 1957 à 1961, année où ils emménagèrent à la Maison-Blanche.

Cox Row ★ [14]
3327-3339 N St. NW

Encore plus à l'ouest s'aligne une autre rangée de maisons très représentatives du style fédéral à Geor-

Georgetown

Dumbarton Oaks.

getown au début du XIXᵉ siècle : Cox Row. Avec leurs panneaux en retrait et leurs encadrements de porte voûtés, elles constituent l'un des plus purs exemples de l'architecture fédérale qui prévalait à Georgetown.

Tournez à droite dans 34th Street, puis encore à droite dans O Street.

Bodisco House [15]
3322 O St. NW, angle 34th St.
Construite en 1815 par un banquier du nom de Clement Smith, celui-là même qui fit édifier Smith Row sur N Street, la Bodisco House fut par la suite rachetée par la légation russe pour y loger les émissaires du tsar. C'est d'ailleurs du nom de l'un d'entre eux, Alexander, baron de Bodisco, qu'avait été baptisée la demeure.

Revenez à N Street.

Holy Trinity Catholic Church [16]
3513 N St. NW, www.trinity.org
La Holy Trinity Catholic Church se compose de trois structures distinctes. La première, datée de 1794, fut le premier lieu de culte catholique du district. Bien vite, les dimensions fort modestes de cette église en brique obligèrent la congrégation, en 1846, à se doter d'un lieu de culte plus important. Ainsi érigea-t-on une belle structure d'inspiration gréco-romaine à laquelle l'architecte Francis Staunton ajouta, en 1869, un presbytère au toit mansardé, pur produit de l'architecture qui suivit la guerre de Sécession.

En poursuivant votre route vers l'ouest dans N Street, vous déboucherez sur le campus de la Georgetown University.

Georgetown University [17]

entrée principale dans le prolongement d'O Street, www.georgetown.edu

La Georgetown University, qui demeure le plus ancien établissement catholique d'enseignement supérieur aux États-Unis, a été fondée en 1789. Face à O Street se dresse le **Healy Hall** [18], un grand édifice de style néogothique. À côté du Healy Hall, et parmi l'un des premiers bâtiments construits pour cette université, se trouve l'**Old North Building** [19] (1792-1793), où le président Washington fit une allocution devant les universitaires de l'époque.

Les autres attraits de Georgetown se trouvent plus au nord, en bordure du Dumbarton Oaks Park et du Montrose Park. En raison de leur éloignement, certains pourront préférer s'y rendre en bus (n⁰ˢ 32 ou 36) ou en taxi, bien qu'il soit possible, au prix d'une longue mais fort agréable promenade, de s'y rendre à pied.

Tudor Place Historic House & Garden ★ [20]

3$, visites guidées 10$; jardin lun-sam 10h à 16h, visites guidées mar-sam aux heures entre 10h et 16h; 1644 31st St. NW, 202-965-0400, www.tudorplace.org

Tudor Place est une magnifique demeure georgienne qui appartenait à Martha Custis Peter, la petite fille de Martha Washington, épouse du président George Washington. À la mort de sa grand-mère, Martha Custis Peter hérita d'une somme de 8 000$ qui lui permit d'acquérir cette parcelle de terrain qui surplombait Georgetown et donnait vue au loin sur le fleuve Potomac. En 1988, un petit musée, qui présente divers objets relatifs à l'histoire de cette famille, y a ouvert ses portes. Il est possible de se promener librement dans les jardins, mais, pour visiter la demeure, il faut se joindre à un tour guidé.

Remontez 31st Street vers le nord jusqu'à R Street et tournez à gauche pour rejoindre 32nd Street.

Dumbarton Oaks ★★ [21]

8$; mi-mars à oct mar-dim 14h à 18h, nov à mi-mars mar-dim 14h à 17h; 1703 32nd St. NW, entre R St. et S St., 202-339-6400, www.doaks.org

La magnifique demeure de Dumbarton Oaks abrite un étonnant musée où est exposée entre autres la **Byzantine Collection ★★** des riches époux Bliss. Dumbarton Oaks se compose de plusieurs bâtiments qui furent construits successivement à mesure que de nouveaux propriétaires emménageaient en ces lieux. À l'extérieur, on peut admirer de **magnifiques jardins ★★** *(angle 31st St. et R St.),* composés de différentes terrasses et considérés comme un véritable chef-d'œuvre d'architecture du paysage aux États-Unis.

Georgetown

Baked and Wired.

Traversez le Dumbarton Oaks Park pour vous rendre à Massachusetts Avenue.

Embassy Row [22]
Massachusetts Ave.

Vers la fin du XIXe siècle, la plouto-cratie américaine se fit construire une centaine de merveilleuses villas de style Beaux-Arts le long des avenues Connecticut et Massachusetts. Située entre Sheridan Circle et Observatory Circle, la portion de Massachusetts Avenue que l'on dénomme aujourd'hui «Embassy Row» fut jadis l'artère la plus huppée de Washington. Mais, au lendemain du krach boursier de Wall Street en 1929, les opulentes familles américaines auront été désormais incapables d'entretenir d'aussi somptueuses villas. Près de 50 résidences diplomatiques et de nombreuses entreprises privées se sont alors installées dans les luxueux hôtels particuliers de Massachusetts Avenue.

Revenez dans R Street et dirigez-vous vers l'est.

Oak Hill Cemetery [23]
lun-ven 9h à 16h30, dim 13h à 16h; 3001 R St. NW, angle 30th St., 202-337-2835, www.oakhillcemeterydc.org

L'Oak Hill Cemetery s'étend sur plus de 10 ha le long de la rive ouest du Rock Creek. William Corcoran, le fondateur de la **Corcoran Gallery of Art** (voir p. 63), fit don des six premiers hectares de terres. Il y est d'ailleurs enterré. Parmi les monuments funéraires, citons la Renwick Chapel, de style néogothique, qui fut construite en 1850, et le Van Ness Mausoleum, érigé en 1833 par

George Hadfield sur le modèle du temple de Vesta à Rome.

Continuez par R Street vers l'est et tournez à droite dans 28th Street, puis à gauche dans Q Street.

Dumbarton House [24]
5$; mar-dim 11h à 15h; 2715 Q St. NW, 202-337-2288, www.dumbartonhouse.org
Bâtie vers 1798, la Dumbarton House est probablement la plus ancienne des grandes demeures qui se dressent sur les hauteurs de Georgetown. En 1928, la National Society of the Colonial Dames of America, une organisation de femmes travaillant à la préservation des bâtiments historiques et à l'éducation, acheta cette demeure pour en faire son siège social et y aménager un petit musée présentant du mobilier, de la vaisselle et quelques belles toiles de maître.

Cafés et restos
(voir carte p. 113)

Baked and Wired $ [26]
1052 Thomas Jefferson St. NW, 202-333-2500, www.bakedandwired.com
Voilà un arrêt obligatoire. Les excellentes pâtisseries de Baked and Wired (entre autres les _cupcakes_), produites en quantité limitée, sont très en demande, et il est possible qu'il y ait rupture de stock lors de votre passage. Mais laissez-vous tenter par ce qui restera, vous ne serez pas déçu!

Bistro Français $-$$ [27]
3124 M St. NW, 202-338-3830, www.bistrofrancaisdc.com
Ce restaurant porte bien son nom: on se croirait effectivement dans un bistro parisien. De grandes affiches françaises sont accrochées au mur, notamment celle de Mistinguett qui trône fièrement à l'entrée. Pour une soupe à l'oignon, un steak tartare ou un coq au vin, c'est ici qu'il faut s'attabler à Georgetown.

Farmers Fishers Bakers $-$$$ [29]
3000 K St. NW, 202-298-8783, www.farmersfishersbakers.com
Situé au **Washington Harbour** (voir p. 111), le restaurant Farmers Fishers Bakers propose un menu varié: pizza, chaudrée de palourdes, jambalaya, sushis, moules, tacos… On pourrait craindre qu'on ait choisi ici la quantité au détriment de la qualité, mais il n'en est rien. Les plats sont très bien apprêtés, comme en témoignaient lors de notre passage un savoureux plat de pétoncles et un steak mariné (Maui Ribeye) qui fondait dans la bouche. Le tout dans un décor très original et respectueux de l'environnement.

Café la Ruche $$ [28]
1039 31st St. NW, 202-965-2684, www.cafelaruche.com
Pour un prix très raisonnable, le Café la Ruche sert des mets traditionnels de la cuisine française. On y offre également une sélection de salades, sandwichs, quiches et croque-monsieur. Gardez une petite place pour le dessert, car les pâtisseries sont excellentes.

Ristorante Piccolo.

🖭 Ristorante Piccolo $$ [31]
1068 31st St. NW, 202-342-7414,
www.piccolodc.com

C'est dans une belle salle charmante et romantique que vous vous attablerez au Ristorante Piccolo, dont la décoration rappelle la chaleur de l'Italie. On y concocte une délicieuse cuisine aux saveurs italiennes où l'huile d'olive règne en maître. Les desserts sont également savoureux.

🖭 Sequoia $$-$$$ [33]
3000 K St. NW, 202-944-4200,
www.arkrestaurants.com/sequoia

La grande terrasse du restaurant Sequoia est l'une des plus jolies de Washington. Dans cet établissement admirablement situé au bord du fleuve Potomac, offrant ainsi une vue superbe et une atmosphère de vacances, vous pourrez vous sus-

tenter ou prendre un verre l'après-midi. Le menu fait la part belle aux fruits de mer, mais les amateurs de viande ne sont pas en reste. Le brunch dominical est très populaire.

🖭 Sea Catch Restaurant and Raw Bar $$-$$$ [32]
1054 31st St. NW, 202-337-8855,
www.seacatchrestaurant.com

Le Sea Catch Restaurant and Raw Bar est tout simplement superbe avec ses murs de pierres telle une cave voûtée. La fraîcheur des lieux est idéale pour savourer pleinement les fruits de mer et les poissons, disposés sur de grands comptoirs à l'entrée. Outre la belle et grande salle à manger, la terrasse, toute en longueur, est elle aussi un véritable petit havre.

La Chaumière $$$ [30]
2813 M St. NW, 202-338-1784,
www.lachaumieredc.com

Réputée pour son excellent service, La Chaumière permet de découvrir les plats français les plus typiques. Laissez-vous tenter par le foie de veau, les tripes, le boudin blanc ou la cervelle de veau.

Tony and Joe's $$$ [34]
3000 K St. NW, 202-944-4545,
www.tonyandjoes.com

Situé au-dessous du Séquoia (voir plus haut), Tony and Joe's profite également de la vue sur le Potomac. Par les chaudes journées d'été, la belle grande terrasse surplombant le fleuve est très agréable pour savourer poissons et fruits de mer.

Georgetown

1789 Restaurant *$$$$* [25]
1226 36th St., 202-965-1789,
www.1789restaurant.com

Le 1789 Restaurant concocte une cuisine moderne favorisant les produits régionaux et offre un décor antique. Sa clientèle est surtout composée de touristes.

Bars et boîtes de nuit

(voir carte p. 113)

Blues Alley [35]
1073 Wisconsin Ave. NW, 202-337-4141,
www.bluesalley.com

Les plus grands artistes de jazz, tels Dizzy Gillespie, Wynton Marsalis et Sarah Vaughn, sont un jour montés sur la scène du Blues Alley, une des plus anciennes boîtes en ville. L'établissement jouit d'une très grande notoriété dans la capitale, aussi est-il préférable de réserver.

Martin's Tavern [36]
1264 Wisconsin Ave. NW, 202-333-7370,
www.martins-tavern.com

La Martin's Tavern est pratiquement devenue une institution à Georgetown. Ouvert depuis 1933, cet établissement propose une cuisine américaine assez simple et offre une ambiance chaleureuse qui rappelle les vieux pubs.

Mr. Smith's of Georgetown [37]
3104 M St. NW, 202-333-3104,
www.mrsmiths.com

Si vous recherchez l'ambiance agréable des pianos-bars, rendez-vous chez Mr. Smith's of Geor-

getown. Il s'agit d'une excellente adresse où, tous les soirs, un excellent pianiste vient jouer de douces mélodies. Si vous désirez casser la croûte, pourquoi ne pas essayer le Wineburger à 1 000$?

Rhino Bar DC [38]
3295 M St. NW, près du 33rd St., 202-333-3150, www.rhinobardc.wordpress.com

Le Rhino Bar attire surtout une large clientèle d'étudiants qui vient, chaque soir de la semaine, s'y amuser et se déhancher sur une musique actuelle. L'établissement est sympathique et animé.

Lèche-vitrine

(voir carte p. 113)

Alimentation

Dean & Deluca [40]
3276 M St. NW, 202-342-2500,
www.deananddeluca.com

Les *foodies* ne manqueront pas de faire un arrêt chez Dean & Deluca. Cette épicerie regorge de produits fins, et le comptoir de prêt-à-manger met l'eau à la bouche. Terrasse couverte.

Georgetown Cupcake [41]
3301 M St. NW, angle 33rd St., 202-333-8448,
www.georgetowncupcake.com

Il vous faudra faire la file si vous désirez goûter aux désormais célèbres *cupcakes* de Georgetown Cupcake (on y tourne l'émission de téléréalité *DC Cupcake*). Ils sont vraiment délicieux, mais si vous ne désirez pas faire la file, sachez

Georgetown Cupcake.

que la boutique Sprinkles (voir ci-dessous) en fait d'aussi bons.

Sprinkles [43]
3015 M St. NW, 202-450-1610,
www.sprinkles.com

Moins achalandée que Georgetown Cupcake, la pâtisserie Sprinkles propose aussi de délicieux *cupcakes*.

Centre commercial

The Shops at Georgetown Park [44]
3222 M St. NW, 202-342-8190,
www.shopsatgeorgetownpark.com

La ville de Georgetown s'est dotée d'un centre commercial à l'architecture très réussie (voir p. 114). On y trouve une centaine de commerces variés ainsi que des restaurants.

Vêtements

Abercrombie & Fitch [39]
1208 Wisconsin Ave. NW, 202-333-1566,
www.abercrombie.com

Abercrombie & Fitch est une boutique de vêtements pour adolescents et jeunes adultes. Entre autres articles, jeans, t-shirts et casquettes y sont proposés.

Lost Boys [42]
1033 31st St. NW, 202-333-0093,
www.lostboysdc.com

Lost Boys est une boutique pour hommes qui vend des vêtements à la mode chics mais décontractés.

9 ↘

Ailleurs à Washington

À voir, à faire

(voir carte p. 125)

Le nord de la ville

Smithsonian's National Zoological Park ★ ★ [1]
entrée libre; avr à oct tlj 6h à 20h, nov à mars tlj 6h à 18h; entrée principale : 3001 Connecticut Ave., entre Cathedral Ave. et Devonshire Place; autres entrées : Beach Dr., dans le Rock Creek Park, et par Harvard St. à l'angle d'Adam Mill Rd.; métro Woodley Park Zoo ou Cleveland Park, 202-633-4888, www.nationalzoo.si.edu

Ce parc zoologique de 65 ha est communément appelé le **National Zoo**. Il jouit d'une réputation mondiale qui s'exerce non seulement à l'égard de la grande variété des espèces qui y sont conservées, mais aussi en raison des études poursuivies par le Smithsonian sur la reproduction et la vie des animaux sauvages. On peut, entre autres animaux, y observer des gorilles, des pandas, des tamarins «lions d'or» du Brésil, des tigres de Sumatra, des éléphants, des lémuriens et une grande variété d'invertébrés venant du monde entier. Quelque 2 000 animaux appartenant à près de 400 espèces différentes sont ainsi implantés dans un cadre naturel.

Basilica of the National Shrine of the Immaculate Conception [2]
avr à oct tlj 7h à 19h, nov à mars tlj 7h à 18h; angle Fourth St. et Michigan Ave. NE, métro Brookland CUA, 202-526-8300, www.nationalshrine.com

Washington s'enorgueillit de sa Basilica of the National Shrine of the Immaculate Conception, la plus grande église catholique romaine d'Amérique du Nord, dont la capacité est de plus de 3 000 places. Datant du début du XXe siècle, son architecture se compose d'un élégant mélange de styles néo-byzantin et néo-roman. L'église abrite

Washington National Cathedral.

un somptueux intérieur rehaussé de vitraux, de statues dorées à la feuille et d'un monumental Christ en mosaïque au-dessus de l'autel principal.

Washington National Cathedral ★★ [3]
contribution suggérée de 10$; lun-ven 10h à 17h30, sam 10h à 16h30, dim 13h à 16h; angle Massachusetts Ave. et Wisconsin Ave. NW; bus n°s N2, N3, N4 ou N6 à partir de Dupont Circle; 202-537-6200, www.nationalcathedral.org

La Washington National Cathedral, de culte anglican, porte officiellement le nom de «Cathedral Church of Saint Peter and Saint Paul». Achevée en 1990, la cathédrale se classe aujourd'hui au sixième rang des plus grandes églises du monde. Ne manquez pas la **Pilgrim Observation Gallery** ★, d'où vous profiterez d'une belle vue panoramique sur toute la ville, et la magnifique

rosace ★, composée de 10 500 morceaux de verre.

Hillwood Estate Museum and Garden ★★ [4]
15$; mar-sam 10h à 17h; 4155 Linnean Ave. NW, à 30 min de marche du métro Van Ness/UDC, 202-686-5807, www.hillwoodmuseum.org

Le Hillwood Estate Museum and Garden présente la remarquable collection de Marjorie Merriweather Post (1887-1973), une femme d'affaires philanthrope, grande collectionneuse d'art. Sa magnifique demeure georgienne de 40 pièces de Hillwood abrite aujourd'hui une impressionnante collection de meubles français des XVIIIe et XIXe siècles, ainsi que des objets d'arts décoratifs français et russes, notamment des tapisseries, de la porcelaine de Sèvres et des trésors provenant de la collection privée des tsars de Russie. Il s'agit là de la plus grande collection d'arts décoratifs russes en dehors du territoire soviétique. Des visites guidées (supplément) de la demeure et des jardins sont proposées.

Rock Creek Park ★★ [5]
entrée libre; 5200 Glover Rd. NW, métro Friendship Heights, puis prenez le bus E2 jusqu'à l'entrée du parc, 202-895-6070, www.nps.gov/rocr

Le Rock Creek Park abrite de nombreux sentiers bien aménagés, parfaits pour entreprendre une belle randonnée, ainsi que des aires de pique-nique munis de tout l'équipement nécessaire pour préparer des grillades en plein air! Aussi, le planétarium du parc organise mensuelle-

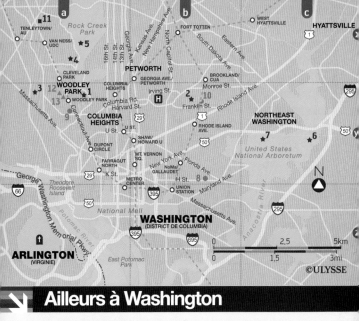

Ailleurs à Washington

À voir, à faire ★

Le nord de la ville
1. AY Smithsonian's National Zoological Park
2. BY Basilica of the National Shrine of the Immaculate Conception
3. AY Washington National Cathedral
4. AX Hillwood Estate Museum and Garden

5. AX Rock Creek Park

L'est de la ville
6. CY Kenilworth Park and Aquatic Gardens
7. CY United States National Arboretum

Cafés et restos ●

8. BY Granville Moore's Brickyard

9. AY Open City

Bars et boîtes de nuit ☽

10. BY Chocolate City Beer

Lèche-vitrine ■

11. AX Politics & Prose Bookstore

Hébergement ▲

Le nord de la ville
12. AY The Kalorama Guest House

13. AY Woodley Park Guest House

Ailleurs à Washington

ment des soirées d'observation des étoiles.

L'est de la ville

Kenilworth Park and Aquatic Gardens ★ [6]

entrée libre; avr à sept tlj 7h à 19h, oct à mars tlj 8h à 16h; angle Anacostia Ave. et Douglas St. NE, métro Deanwood, 202-426-6905, www.nps.gov/keaq

Les Kenilworth Park and Aquatic Gardens sont administrés par le Service national des parcs américains. Situés sur la rive est de la rivière Anacostia, dans le nord-est de Washington, ces jardins consacrés essentiellement aux nénuphars, aux lotus et à d'autres plantes aquatiques ont été créés en 1880. Ne manquez pas les bassins Victoria Amazonica et East Indian Lotus, où les lotus proviennent de graines retrouvées en Mandchourie

qui auraient, paraît-il, entre 350 et 600 ans.

United States National Arboretum ★★ [7]

entrée libre; avr à sept tlj 8h à 17h, oct à mars ven-lun 8h à 17h; 3501 New York Ave. NE, métro Station Armory, puis prenez le bus B2 jusqu'à l'angle de Bladensburg Rd. et de R St. N.E, 202-245-2726, www.usna.usda.gov

L'United States National Arboretum s'étend sur près de 180 ha, ce qui en fait l'un des plus grands arboretums des États-Unis. Vous y trouverez l'une des plus importantes plantations d'azalées au pays ainsi que bien d'autres plantes dont une impressionnante diversité de roses, des hibiscus, des rhododendrons, des magnolias, des cornouillers, du buis, du houx, etc. Ne manquez pas le magnifique **National Bonsai & Penjing Museum** ★, qui expose une vaste collection de bonsaïs offerts par le Japon.

1. Rock Creek Park.
2. United States National Arboretum.

Cafés et restos
(voir carte p. 125)

Open City $ [9]
2331 Calvert St. NW, 202-332-2331,
www.opencitydc.com

En plus d'être un café, Open City propose des mets plus consistants comme des pâtes, des moules et de la viande. Le tout à un prix presque dérisoire. Les petits déjeuners sont populaires, surtout les fins de semaine, alors qu'il vous faudra certainement faire la file.

Granville Moore's Brickyard $$ [10]
1238 H St. NE, 202-399-2546,
www.granvillemoores.com

Le Granville Moore's Brickyard est passé maître dans l'amalgame typiquement belge de moules, frites et bières.

Bars et boîtes de nuit *(voir carte p. 125)*

Chocolate City Beer [11]
2801 Eighth St. NE, www.chocolatecitybeer.com

Cette microbrasserie propose des bières inspirées des traditions brassicoles d'un peu partout dans le monde, comme en témoigne la Cerveza Nacional de la Capital, créée en l'honneur de l'Amérique latine.

Lèche-vitrine
(voir carte p. 125)

Librairie

Politics & Prose Bookstore [12]
5015 Connecticut Ave. NW, 202-362-2408,
www.politics-prose.com

Cette librairie indépendante est reconnue pour son excellente sélection de livres. On y organise de nombreuses rencontres avec des auteurs célèbres.

10 ↘

Les environs de Washington

À voir, à faire
(voir carte p. 129)

Arlington ★

Bien que située dans l'État de Virginie, Arlington se présente comme une banlieue de Washington. La ville est devenue, durant le XXᵉ siècle, un lieu de prédilection où se sont installés de nombreux fonctionnaires et une population aisée qui traversent chaque jour le fleuve Potomac pour se rendre à leur travail à Washington.

Arlington National Cemetery ★★ [1]
entrée libre; avr à sept tlj 8h à 19h, oct à mars tlj 8h à 17h; pour vous y rendre à pied ou en voiture, traversez l'Arlington Memorial Bridge en face du Lincoln Memorial; métro Arlington Cemetery, 877-907-8585, www.arlingtoncemetery.mil

Vaste espace le long du Potomac, l'Arlington National Cemetery est le lieu du dernier repos des héros de la nation. Plus de 400 000 personnes y sont aussi inhumées, incluant les dizaines de milliers de défunts dont les urnes se trouvent dans les colombariums. Parmi les personnes célèbres enterrées ici figurent John F. Kennedy, Jacqueline Kennedy Onassis, l'auteur Dashiell Hammett et le musicien Glenn Miller.

Arlington House ★★ [2]
entrée libre; visites guidées tlj 9h30 à 16h30; Arlington National Cemetery, 703-235-1530, www.nps.gov/arho

Sur une colline du cimetière s'élève une grande maison de plantation qui se distingue par son portique de colonnes doriques. Il s'agit de l'Arlington House, d'où l'on jouit

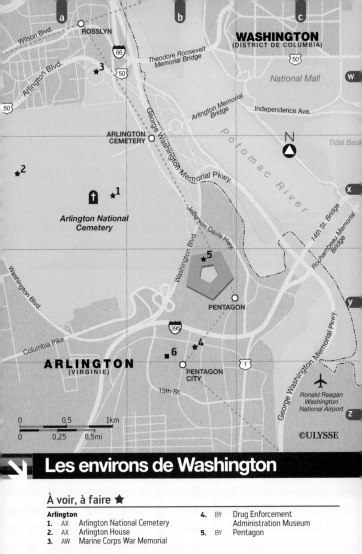

Les environs de Washington

À voir, à faire ★

Arlington
1. AX Arlington National Cemetery
2. AX Arlington House
3. AW Marine Corps War Memorial

4. BY Drug Enforcement Administration Museum
5. BY Pentagon

Lèche-vitrine ■

6. BY The Fashion Centre at Pentagon City

d'une splendide vue sur la ville de Washington. C'est autour de cette maison que s'est déroulée l'histoire de l'Arlington National Cemetery, qui s'étend aujourd'hui sur 170 ha. La maison abrite le **Robert E. Lee Museum**, qui présente des objets et artéfacts ayant appartenu à Robert E. Lee, le chef des armées des États confédérés au cours de la guerre de Sécession, qui vécut ici avant le conflit.

Marine Corps War Memorial ★ [3]

dans un parc entre Arlington Blvd. et Ridge Rd. à côté de l'Arlington National Cemetery, sortez du cimetière par la Weitzel Gate pour vous y rendre; métro Arlington Cemetery ou Rosslyn

Représentant quatre soldats du corps des marines figés dans un effort collectif pour planter le drapeau américain, le Marine Corps War Memorial, mieux connu sous le nom de **Iwo Jima Memorial**, commémore un événement décisif de la Seconde Guerre mondiale qui a marqué un point tournant dans la campagne du Pacifique. En février 1945, la petite île japonaise d'Iwo Jima fut l'objet d'âpres combats et fut défendue jusqu'au dernier homme par les Japonais qui tentaient de repousser l'assaut des forces américaines. Durant la rude bataille, un petit détachement de marines monta au sommet de la montagne pour y planter la bannière étoilée.

Drug Enforcement Administration Museum [4]

entrée libre; mar-ven 10h à 16h; 700 Army Navy Dr., 202-307-3463, www.deamuseum.org

Un musée géré par la Drug Enforcement Administration (DEA)? Et il est intéressant en plus! On y apprend

1. Marine Corps War Memorial.
2. Pentagon.

beaucoup sur l'évolution des drogues et sur le travail de la DEA, en plus de voir divers objets saisis chez des trafiquants et consommateurs (pipes, seringues, et même une moto!). Plutôt modeste, on peut jumeler la visite de ce musée avec celle du Pentagone.

Pentagon ★ [5]

visites guidées sur réservation uniquement par le site Internet au moins deux semaines à l'avance; lun-ven 9h à 15h; autoroute I-395, métro Pentagon, 703-695-1776, www.pentagontours.osd.mil

Le Pentagone, immense édifice à cinq façades, d'où son nom, loge le ministère de la Défense et l'état-major des trois armées américaines (Army, Navy, Air Force). Plus de 25 000 civils et militaires travaillent dans ce qui est le plus vaste immeuble de bureaux au monde. La visite permet d'explorer quelques corridors aux murs desquels vous pourrez découvrir les portraits des présidents des États-Unis ainsi que des tableaux commémorant des batailles militaires. Vous pourrez également vous recueillir devant le **Pentagon Memorial**, créé en 2008 en souvenir des victimes de l'attentat du 11 septembre 2001.

Lèche-vitrine

(voir carte p. 129)

Centre commercial

The Fashion Centre at Pentagon City [6]
1100 S. Hayes St., 703-415-2400, www.simon.com

Le Fashion Centre at Pentagon City est un grand centre commercial qui abrite plus de 170 boutiques et restaurants.

washington

pratique

↘Les formalités

Passeports et visas

Pour entrer aux États-Unis par voie aérienne, les citoyens canadiens ont besoin d'un passeport. S'ils entrent par voie terrestre ou maritime, ils pourront présenter soit leur passeport ou leur «permis de conduire Plus», qui sert à la fois de permis de conduire et de document de voyage.

Les résidents d'une trentaine de pays dont la France, la Belgique et la Suisse, en voyage d'agrément ou d'affaires, n'ont plus besoin d'être en possession d'un visa pour entrer aux États-Unis à condition de :

Washington Dulles International Airport.

- avoir un billet d'avion aller-retour ;

- présenter un passeport électronique sauf s'ils possèdent un passeport individuel à lecture optique en cours de validité et émis au plus tard le 25 octobre 2005 ; à défaut, l'obtention d'un visa sera obligatoire ;

- projeter un séjour d'au plus 90 jours (le séjour ne peut être prolongé sur place : le visiteur ne peut changer de statut, accepter un emploi ou étudier) ;

- présenter des preuves de solvabilité (carte de crédit, chèques de voyage) ;

- remplir le formulaire de demande d'exemption de visa (formulaire

I-94W) remis par la compagnie de transport pendant le vol ;

- le visa est toujours nécessaire pour certaines catégories de voyageurs (étudiants ou visa précédemment refusé).

Depuis 2009, les ressortissants des pays bénéficiaires du Programme d'exemption de visa devront obtenir une autorisation de séjour avant d'entamer leur voyage aux États-Unis. Afin d'obtenir cette autorisation, les voyageurs éligibles doivent remplir le questionnaire du Système électronique d'autorisation de voyage (ESTA) au moins 72h avant leur déplacement aux États-Unis. Ce formulaire est disponible gratuitement sur le site Internet administré par le **U.S. Department**

of **Homeland Security** (*https://esta.cbp.dhs.gov/esta/esta.html*).

↘ L'arrivée

Par avion

Ronald Reagan Washington National Airport

Le Ronald Reagan Washington National Airport (*7 km au sud du centre-ville, métro National Airport, www.metwashairports.com/reagan*) est l'aéroport situé le plus près de la ville. En dehors des heures de pointe, il ne vous faudra qu'une quinzaine de minutes en voiture pour vous rendre en ville. Situé dans le comté d'Arlington, en Virginie, cet aéroport se trouve en bordure du fleuve Potomac.

La **SuperShuttle** (*15$ aller; 800-258-3826, www.supershuttle.com*) peut vous déposer à votre hôtel (réservations requises à l'aller comme au retour).

Un taxi jusqu'au centre-ville de Washington vous coûtera environ 15$.

Washington Dulles International Airport

Le Washington Dulles International Airport (*www.metwashairports.com/dulles*) est également situé en Virginie, à environ 40 km du centre-ville de Washington. Il s'agit du principal aéroport de la région de la capitale fédérale à accueillir les vols internationaux. Pour se rendre au centre-ville au départ de l'aéroport, la façon la plus économique

Washington pratique

est d'utiliser le **Washington Flyer Coach Service** (10$ aller; départs aux 30 min; www.washfly.com), une navette qui vous emmènera à la station West Falls Church de la ligne orange du métro.

La **SuperShuttle** (30$ aller; 800-258-3826, www.supershuttle.com) peut vous déposer à votre hôtel (réservations requises à l'aller comme au retour).

Un taxi jusqu'à Washington vous coûtera environ 70$.

Baltimore/Washington International Airport

Le Baltimore/Washington International Airport (www.bwiairport.com) est situé dans le Maryland, à 45 km au nord de Washington et à 15 km au sud de Baltimore.

La **SuperShuttle** (37$ aller; 800-258-3826, www.supershuttle.com) peut vous déposer à votre hôtel (réservations requises à l'aller comme au retour).

Le **MARC Train** (6$; 800-325-7245, www.mta.maryland.gov) est une navette ferroviaire qui permet de rejoindre la gare centrale de Washington, l'Union Station.

Un taxi jusqu'à Washington vous coûtera environ 90$.

Par autocar

L'**Union Station** (50 Massachusetts Ave., www.unionstationdc.com) est la gare d'où partent et où arrivent la plupart des autocars.

Les Canadiens peuvent se rendre à Washington à bord des autobus de la compagnie **Greyhound** (800-231-2222, www.greyhound.com). Ils peuvent faire leur réservation directement auprès de la **Gare d'autocars de Montréal** (1717 rue Berri, 514-842-2281, www.gamtl.com).

Par train

Il n'est pas possible de se rendre directement à Washington en train au départ du Québec, à moins de prendre un train de correspondance à New York. La compagnie **Amtrak** (800-872-7245, www.amtrak.com) assure la liaison, et les trains arrivent à l'Union Station (voir ci-dessus).

Par voiture

Au départ de Montréal, empruntez l'autoroute 15 Sud en direction de la frontière américaine. Une fois la frontière franchie, cette route devient l'Interstate 87 (I-87), qui mène à New York. Un peu avant la Grosse Pomme, il vous faudra emprunter l'autoroute 17 Sud, qui rejoint l'Interstate 95. Cette dernière vous conduira à Washington. Comptez environ 9h30 pour faire le trajet, sans compter l'accès à la ville même qui peut être plus difficile en fonction de la densité de la circulation.

Union Station.

Si vous choisissez de vous rendre à Washington en voiture, sachez qu'il vous sera très difficile de trouver un stationnement gratuit dans la rue. Par contre, les stationnements privés sont nombreux. Il faut compter entre 20$ et 50$ la journée selon l'endroit. Les sites *www.washingtondc.bestparking.com* ou *www.parkme.com* permettent de comparer les prix et de réserver son emplacement (aucun paiement requis) avant de partir.

Le logement

Washington attire énormément de visiteurs, et ses hôtels, auberges et gîtes touristiques (*bed and breakfasts*) s'emplissent rapidement en haute saison, et parfois même en basse saison lors d'importants congrès. C'est pourquoi il serait sage de réserver. Notez aussi que se loger à Washington coûte de plus en plus cher, soit en moyenne 240$ par nuitée pour une chambre standard.

Cela dit, l'éventail des possibilités offertes vous assure un séjour à votre mesure, que vous souhaitiez vous faire dorloter dans un opulent hôtel historique, retrouver le confort et l'intimité de votre foyer dans un gîte touristique familial, ou simplement vous la couler douce dans un cadre confortable et isolé.

Location d'appartements

Divers sites Internet proposent de mettre directement en contact les voyageurs avec des résidents de Washington qui louent une chambre

Washington pratique

ou un appartement complet, moyennant des frais de service retenus sur le coût de chaque location. Cette option permet de faire de bonnes économies sur le coût de l'hébergement, mais il importe évidemment de demeurer vigilant, notamment en vérifiant les commentaires laissés par d'autres locataires.

Voici quelques sites qui offrent ce service :

www.airbnb.com
www.homeaway.com
www.roomorama.com

Auberges de jeunesse

Washington International Student Center *$*
2451 18th St. NW, 202-667-7681 ou 800-567-4150, www.dchostel.com

HI-USA Washington DC *$-$$*
1009 11th St. NW, 202-737-2333 ou 888-464-4872, www.hiwashingtondc.org

Hôtels

L'échelle utilisée dans ce guide donne des indications de prix pour une chambre standard pour deux personnes, avant taxe, en vigueur durant la haute saison.

$	moins de 150$
$$	de 151$ à 250$
$$$	de 251$ à 350$
$$$$	plus de 350$

Chacun des établissements inscrits dans ce guide s'y retrouve en raison de ses qualités ou particularités, en plus de son rapport qualité/prix. Parmi ce groupe déjà sélect, certains établissements se distinguent encore plus que les autres. Nous leur avons donc attribué le label Ulysse ⊛. Celui-ci peut se retrouver dans n'importe lesquelles des catégories d'établissements : supérieure, moyenne-élevée, petit budget. Quoi qu'il en soit, dans chacun de ces établissements, vous en aurez pour votre argent. Repérez-les en premier!

Capitol Hill (voir carte p. 31)

Hyatt Regency Washington on Capitol Hill *$$* [27]
400 New Jersey Ave. NW, 202-737-1234, www.washingtonregency.hyatt.com
Très lumineux grâce à une grande verrière, le hall du Hyatt Regency abrite un restaurant, un bar et une boutique de souvenirs. Les chambres, propres, spacieuses et bien équipées, sont chaleureusement décorées. N'hésitez pas à faire un détour par le vaste centre de conditionnement physique, qui dispose d'une jolie piscine intérieure chauffée.

⊛ **Hotel George** *$$$* [26]
15 E St. NW, 202-347-4200 ou 800-546-7866, www.hotelgeorge.com
Comment ne pas tomber sous le charme de ce magnifique hôtel? Dès le hall, on remarque le soin qui a été porté à la décoration. Les chambres sont aménagées avec goût : le mobilier est moderne et l'organisation des pièces particulièrement agréable et aéré. À deux pas du

Hotel George.

Capitole, cette excellente adresse compte également dans ses murs un charmant restaurant, le **Bistro Bis** (voir p. 37).

The Liaison Capitol Hill $$$$
[28]
415 New Jersey Ave. NW, 202-638-1616, www.affinia.com

Les chambres du Liaison Capitol Hill, décorées dans les tons de gris, sont modernes et impeccables. Ne manquez pas le bar et la piscine sur le toit. L'hôtel abrite aussi un très bon restaurant, l'Art and Soul.

Le centre-ville (voir carte p. 41)

Hamilton Crowne Plaza Washington, DC $$$ [53]
1001 14th St. NW, angle K St., 202-682-0111, www.hamiltonhoteldc.com

Le Hamilton Crowne Plaza est un très bel hôtel de style Beaux-Arts qui pratique des prix vraiment très intéressants en basse saison ou les fins de semaine. Son très joli hall est finement décoré, avec une voûte ornée de caissons. Les chambres sont modernes tout en demeurant chaleureuses.

Hilton Garden Inn Washington DC Downtown $$$ [54]
815 14th St. NW, 202-783-7800 ou 877-782-9444, http://hiltongardeninn3.hilton.com

À quelques pâtés de maisons de la Maison-Blanche, le Hilton Garden Inn dispose d'un emplacement de choix au cœur du centre-ville. La décoration des pièces est simple et classique. Les chambres, très propres, sont de tout confort. L'hôtel compte une piscine intérieure chauffée et un centre de conditionnement physique.

Washington pratique

Washington pratique

Hotel Monaco $$$-$$$$ [55]
700 F St. NW, 202-628-7177 ou 800-649-1202, www.monaco-dc.com

Installé dans le magnifique ancien édifice de la poste, l'Hotel Monaco est très bien situé pour qui veut partir à la découverte de Washington. Fidèle à la chaîne d'hôtels-boutiques Kimpton, il arbore une décoration colorée et chaleureuse, sans oublier les peignoirs à motifs animaliers. Les lits sont particulièrement confortables. L'hôtel abrite un bon restaurant, la **Poste Moderne Brasserie** (voir p. 51).

Grand Hyatt Washington $$$$ [52]
1000 H St. NW, 202-582-1234, www.grandwashington.hyatt.com

L'architecture intérieure du Grand Hyatt Washington est vraiment impressionnante, avec son grand atrium surmonté d'une verrière où entre la lumière à profusion. Deux ascenseurs aux parois vitrées montent vers les chambres tout en procurant aux clients une jolie vue plongeante sur un jardin central. Les 900 chambres, plutôt grandes, sont conçues pour assurer un excellent confort.

JW Marriott Hotel Washington, DC $$$$ [56]
1331 Pennsylvania Ave. NW, 202-393-2000 ou 800-393-2503, www.marriott.com

L'aspect extérieur austère du JW Marriott Hotel est trompeur. Malgré la fadeur de son architecture, ce gigantesque établissement de près de 800 chambres est une excellente adresse qui sait conjuguer confort et raffinement dans un cadre contemporain.

1. W Washington D.C.

2. Sofitel Washington DC Lafayette Square.

Les environs de la Maison-Blanche *(voir carte p. 59)*

Loews Madison Hotel *$$$* [35]
1177 15th St. NW, 202-862-1600 ou 800-424-8577, www.loewshotels.com/Madison-Hotel

Le Loews Madison Hotel figure parmi les plus beaux hôtels de la capitale américaine. Son intérieur est splendide et extrêmement raffiné. Est-il besoin de mentionner que les chambres sont luxueuses et de grand confort? L'hôtel renferme un très bon restaurant, le PostScript.

W Washington D.C. *$$$* [39]
515 15th St. NW, 202-661-2400, www.wwashingtondc.com

Merveilleusement bien situé à l'angle de Pennsylvania Avenue, le W Washington D.C., installé dans ce qui fut le plus ancien hôtel de la ville (voir l'**Hotel Washington**, p. 61), se trouve à la limite du centre-ville et des abords de la maison présidentielle. Établissement de quelque 320 vastes chambres, c'est une adresse où la clientèle jouit d'un grand confort. Une agréable terrasse (voir p. 69) a été aménagée sur le toit, d'où vous pourrez apprécier la vue qui s'étend sur la ville.

Sofitel Washington DC Lafayette Square *$$$$* [36]
806 15th St. NW, 202-730-8800, www.sofitel.com

Établi à une rue de la Maison-Blanche, le Sofitel est un bon pied-à-terre pour visiter Washington. Les chambres sont confortables et lumineuses, mais gagneraient à être plus spacieuses. L'hôtel compte un bon bistro et un bar à l'ambiance feutrée.

Washington pratique

The Hay-Adams $$$$ [37]
800 16th St. NW, 202-638-6600,
www.hayadams.com

L'hôtel Hay-Adams marie à merveille luxe, élégance et grand confort. Les chambres sont magnifiquement décorées et des plus confortables. L'hôtel abrite un restaurant, The Lafayette, l'un des plus prisés de la ville.

The St. Regis Washington, D.C. $$$$ [38]
923 16th St. NW, angle K St. NW,
202-638-2626 ou 888-627-8087,
www.stregiswashingtondc.com

Si vous aimez les hôtels de luxe, descendez au St. Regis, un véritable petit bijou. L'intérieur d'inspiration Renaissance italienne est empreint d'élégance et de raffinement. Les chambres spacieuses et magnifiques sont dotées d'une grande salle de bain toute en marbre. L'hôtel renferme un excellent restaurant qui sert une savoureuse cuisine méditerranéenne, le Decanter.

Willard InterContinental Washington $$$$ [40]
1401 Pennsylvania Ave. NW, 202-628-9100
ou 866-487-2537,
http://washington.intercontinental.com/

Fleuron du parc hôtelier de la capitale, le Willard est un hôtel de luxe installé dans un superbe bâtiment de style Beaux-Arts au toit mansardé. Les chambres sont vastes, spacieuses et aménagées avec soin, jusqu'au plus petit détail. Notez que c'est en ces lieux que le Dr. Martin Luther King Jr. acheva la rédaction de son fameux discours *I have a dream*...

1. The Hay-Adams.
2. The St. Regis Washington, D.C.

Dupont Circle et Adams Morgan
(voir carte p. 87)

Dupont Circle

Aaron Shipman House Bed and Breakfast **$-$$** [53]
1310 Q St. NW, 202-328-3510 ou 877-893-3233,
www.aaronshipmanhouse.com

L'Aaron Shipman House Bed and Breakfast propose six chambres confortables pouvant accueillir deux personnes chacune et un appartement pouvant loger jusqu'à quatre personnes. Le gîte compte quelques places de stationnement qu'il vaut mieux réserver. Petit déjeuner inclus.

Embassy Suites Washington D.C. **$$** [55]
1250 22nd St. NW, 202-857-3388,
www.embassysuites.com

Construites autour d'une grande aire ouverte décorée de colonnes grecques, de plantes vertes et de cascades d'eau qui entourent les tables d'un petit café, les suites de l'Embassy Suites Washington D.C. se composent d'une pièce faisant office à la fois de salon et de salle à manger, d'une petite cuisine équipée, ainsi que d'une grande chambre chaleureuse. Un endroit idéal pour les longs séjours.

St. Gregory Luxury Hotel & Suites **$$** [59]
2033 M St. NW, 202-530-3600 ou
800-829-5034, www.stgregoryhotelwdc.com

Le St. Gregory est un hôtel très agréable qui allie modernité et confort. Une attention particulière a été portée à la décoration des chambres qui marie des tons bordeaux et or. Les chambres situées sous les toits ont l'avantage d'être pourvues d'un balcon d'où l'on peut

Washington pratique

profiter d'une vue imprenable sur la ville. Excellent rapport qualité/prix.

🏷️ **Hotel Rouge** *$$-$$$* [58]
1315 16th St. NW, 202-232-8000
ou 800-738-1202, www.rougehotel.com

L'Hotel Rouge propose d'agréables chambres dans les tons de… rouge. Quoique spacieuses, elles ont une salle de bain plutôt petite. Les lits sont des plus agréables et vous offriront un sommeil paisible après votre journée.

🏷️ **Embassy Circle Guest House** *$$$* [54]
2224 R St. NW, 202-232-7744 ou 877-232-7744, www.dcinns.com

Dès que vous passerez la porte de l'Embassy Circle Guest House, jadis une ambassade, d'où son nom, vous vous sentirez accueilli comme un hôte de prestige. Les chambres sont superbes et élégamment décorées (à noter qu'elles n'ont pas de téléviseur). En soirée, on vous offrira un verre de vin que vous pourrez prendre avec les autres occupants ou apporter dans votre chambre. Les petits déjeuners sont particulièrement savoureux.

The Dupont Circle Hotel *$$$* [60]
1500 New Hampshire Ave. NW, 202-483-6000
ou 800-423-6953, www.doylecollection.com

The Dupont Circle Hotel, situé directement sur le Dupont Circle, propose des chambres spacieuses et lumineuses à la décoration moderne. L'emplacement est idéal pour ceux qui aiment se retrouver

au cœur d'un quartier dynamique avec des restaurants pour tous les goûts et tous les budgets.

The Fairfax at Embassy Row *$$$* [61]
2100 Massachusetts Ave. NW, 202-293-2100
ou 888-627-8439, www.fairfaxhoteldc.com

C'est une ambiance très britannique qui vous attend au Fairfax at Embassy Row. À la manière d'un club anglais, les murs du hall ainsi que ceux des deux restaurants sont recouverts de boiseries foncées, parées de tableaux mettant en scène des cavaliers et leur monture. Les chambres, confortables et spacieuses, sont des plus élégantes.

🏷️ **The Mayflower Renaissance Washington, DC Hotel** *$$$* [63]
1127 Connecticut Ave. NW, 202-347-3000
ou 800-228-7697, www.marriott.com

Parmi les hôtels qui ont marqué l'histoire de Washington figure le Mayflower Renaissance, un magnifique hôtel quatre étoiles où tout est synonyme de luxe. Les chambres sont à la mesure du raffinement et du confort que l'on est en droit de s'attendre dans ce genre d'établissement. L'hôtel abrite un très bon restaurant, l'Edgar Bar & Kitchen.

Hotel Madera *$$$-$$$$* [56]
1310 New Hampshire Ave. NW, 202-296-7600
ou 800-430-1202, www.hotelmadera.com

L'Hotel Madera, qui fait partie de la chaîne d'hôtels-boutiques Kimpton, propose d'agréables chambres de grande dimension à la décoration

Hotel Rouge.

colorée. Certaines d'entres elles ont un balcon. L'hôtel renferme le restaurant Firefly, qui propose une cuisine mettant en valeur les produits locaux.

Hotel Palomar, Washington DC $$$-$$$$ [57]
2121 P St. NW, 202-448-1800 ou 877-866-3070, www.hotelpalomar-dc.com

Situé à quelques rues du Dupont Circle, le luxueux Hotel Palomar propose des chambres spacieuses au décor agréable. Les salles de bain sont grandes et les lits très confortables. En saison, une jolie piscine permet de se rafraîchir. Bon restaurant sur place.

The Jefferson $$$-$$$$ [62]
1200 16th St. NW, 202-448-2300, www.jeffersondc.com

Non loin de la Maison-Blanche, un bâtiment de style Beaux-Arts abrite le magnifique hôtel The Jefferson. Rénovées en 2009 afin de les rendre un peu plus modernes, les chambres du Jefferson demeurent tout de même raffinées et élégantes. L'hôtel compte trois restaurants dont The Greenhouse, où il est possible de prendre l'*afternoon tea*.

Adams Morgan

Taft Bridge Inn $ [66]
2007 Wyoming Ave. NW, 202-387-2007, www.taftbridgeinn.com

Le Taft Bridge Inn promet un séjour agréable à sa clientèle: les chambres sont agréables et les lits des plus confortables, sans oublier les aires communes qui incitent à relaxer. L'accueil est chaleureux et amical. Petit déjeuner inclus. Salles de bain privées et partagées.

Washington pratique

Fairmont Washington, D.C., Georgetown.

Adam's Inn $-$$ [64]
1746 Lanier Place NW, 202-745-3600 ou
800-578-6807, www.adamsinn.com

En plein cœur d'Adams Morgan,
vous trouverez, dans une petite
rue résidentielle très tranquille,
une maison en briques rouges qui
abrite, sur trois étages, un *bed and
breakfast* tenu par des propriétaires charmants. Les chambres
simples mais propres sont dotées
pour certaines de lits doubles et
de salles de bain privées ou communes. Le petit déjeuner est gracieusement offert.

American Guest House $$ [65]
2005 Columbia Rd. NW, 202-588-1180,
www.americanguesthouse.com

L'American Guest House compte
12 chambres joliment décorées et
agrémentées de meubles antiques.

Ce *bed and breakfast* des plus cha-
leureux est un bon choix si vous ne
désirez pas débourser près de 300$
pour une chambre d'hôtel. Petit
déjeuner inclus.

Foggy Bottom (voir carte p. 101)

One Washington Circle Hotel
$$-$$$ [13]
1 Washington Circle NW, 202-872-1680
ou 800-424-9671, www.thecirclehotel.com

Si vous désirez louer une suite pen-
dant votre séjour dans la capitale,
notez que le One Washington Circle
Hotel constitue une très bonne
adresse. Six suites de dimensions
différentes sont disponibles, toutes
donnant sur un balcon privé. Les
clients bénéficient d'un centre de
conditionnement physique et d'une
piscine extérieure. L'hôtel abrite un
bistro.

The George Washington University Inn $$-$$$ [14]
824 New Hampshire Ave. NW, 202-337-6620 ou 800-426-4455, www.gwuinn.com

Situé dans un secteur paisible du quartier de Foggy Bottom, le George Washington University Inn est une bonne adresse dans le quartier pour ceux qui désirent se loger à prix abordable. Cet établissement renferme des chambres spacieuses et lumineuses. L'hôtel compte entre autres un bon restaurant italien.

Hotel Lombardy $$$ [12]
2019 Pennsylvania Ave. NW, 202-828-2600 ou 800-424-5486, www.hotellombardy.com

Agréablement situé sur Pennsylvania Avenue, l'hôtel Lombardy offre un intérieur cossu caractérisé par un style chargé de boiseries, draperies, fauteuils et canapés moelleux et capitonnés. La pièce la plus remarquable de l'hôtel est sans conteste celle qui abrite le Venitian Room Bar & Lounge. L'établissement est doté de 140 chambres et de 20 suites de bonnes dimensions et joliment décorées.

Fairmont Washington, D.C., Georgetown $$$$ [11]
2401 M St. NW, 202-429-2400 ou 866-540-4505, www.fairmont.com/washington

Les 415 chambres et suites du Fairmont Washington sont spacieuses, agréables, et d'une propreté irréprochable. Certaines ont un balcon qui donne sur la jolie cour intérieure. Service professionnel.

The Ritz-Carlton, Washington D.C. $$$$ [15]
1150 22nd St. NW, 202-835-0500, www.ritzcarlton.com

Le Ritz-Carlton de Washington est fidèle à la chaîne : décor classique, chambres agréables avec salle de bain spacieuse et service personnalisé. L'hôtel abrite un bon restaurant, le Westend Bistro.

Georgetown (voir carte p. 113)

Georgetown Suites $$-$$$ [47]
1111 30th St. NW et 1000 29th St. NW, 202-298-7800 ou 800-348-7203, www.georgetownsuites.com

Georgetown Suites propose à deux adresses des appartements à l'ameublement simple qui comptent tous un coin cuisine. Le petit déjeuner continental est gracieusement offert.

The Graham Georgetown $$$ [48]
1075 Thomas Jefferson St. NW, 202-337-0900 ou 855-341-1292, www.thegrahamgeorgetown.com

Le Graham est situé en plein cœur de Georgetown. Aménagé dans un immeuble en brique typique du quartier, cet établissement à l'intérieur moderne possède beaucoup de charme. Les chambres sont agréablement décorées et les lits sont très confortables. L'hôtel comporte une terrasse sur le toit. Une très bonne adresse.

Washington pratique

Pennsylvania Avenue.

Capella Washington, D.C., Georgetown *$$$$* [45]
1050 31st St. NW, 202-617-2400 ou
855-922-7355, www.capellahotels.com
Ouvert à l'été 2013, le Capella figure
déjà parmi les meilleures adresses de
Washington. Ici, tout est pensé pour
offrir un séjour mémorable à la clientèle et le moindre détail vaut le coup
d'œil: draps de la chic maison italienne Pratesi, meubles Hermès, bai-
gnoire circulaire, toiles dignes d'un
musée... Il ne faut surtout pas man-
quer le *lounge* sur le toit, splendide.

Four Seasons Hotel Washington, DC *$$$$* [46]
2800 Pennsylvania Ave. NW, 202-342-0444,
www.fourseasons.com
À l'entrée de Georgetown, à proximité
du Rock Creek, se dresse l'immeuble
moderne en briques rouges du Four
Seasons Hotel, un magnifique hôtel
qui marie élégance, confort et cadre
enchanteur. Les chambres sont
spacieuses et élégamment décorées d'un mobilier chaleureux. Les
clients bénéficient d'un centre de
conditionnement physique et d'une
piscine. L'hôtel compte deux restaurants et un bar à vins.

Ailleurs à Washington
(voir carte p. 125)

Le nord de la ville

The Kalorama Guest House *$-$$* [12]
2700 Cathedral Ave. NW, 202-588-8188,
www.kaloramaguesthouse.com
Située dans un quartier calme, la
Kalorama Guest House offre un
accueil des plus sympathiques. Les
chambres sont agréables, d'une
propreté irréprochable, et certaines
ont une salle de bain privée. Le petit
déjeuner, savoureux et copieux, est
gracieusement offert.

Washington pratique

🚍 **Woodley Park Guest House $$** [13]

2647 Woodley Rd. NW, 202-667-0218 ou 866-667-0218

La Woodley Park Guest House propose, au cœur d'un quartier agréable, des chambres lumineuses avec salle de bain privée ou commune. À noter que les chambres ne sont pas pourvues de téléviseurs. Le petit déjeuner est inclus. Les hôtes se feront un plaisir de vous aiguiller sur les activités et attraits touristiques de la ville.

Les déplacements

Orientation

Sachant que le point de départ de la numérotation civique est le Capitole (East Capitol Street), il est facile de s'orienter à Washing-ton. À partir de là, vers le nord et le sud, les rues suivent les lettres de l'alphabet (sachez cependant qu'il n'y a pas les lettres *J* et *Z*). Vers le nord, vous verrez donc E Street NE, si vous êtes à l'est du Capitole, alors qu'au sud, vous verrez E Street SE si vous êtes aussi à l'est du Capitole. Toujours à partir du Capitole, vers l'ouest et vers l'est, les rues suivent les chiffres et, selon que vous êtes au nord ou au sud du Capitole, vous verrez Second Street NE ou SE. Pour la numérotation, il faut aussi savoir que chaque *block* (pâté de maisons) comprend 100 numéros civiques. Donc, si vous désirez vous rendre à la Maison-Blanche, située au 1600 Pennsylvania Avenue NW, sachez que l'adresse indique qu'elle se trouve sur Pennsylvania Avenue au nord-ouest du Capitole, au niveau de 16th Street. Le système fonctionne aussi dans l'autre sens : si vous désirez vous rendre au Ford's Theatre, situé au 511 10th Street NW, sachez que l'adresse indique qu'il se trouve dans 10th Street au nord-ouest du Capitole, entre les rues E (5e lettre de l'alphabet) et F. Attention cependant de ne pas oublier qu'il n'y a pas de lettre *J*. Le *block* des adresses 1000 sera donc situé entre les rues K (11e lettre de l'alphabet) et L.

En voiture

La voiture ne constitue pas le moyen le plus efficace ni le plus agréable pour visiter Washington, et notez que vous devrez payer une quarantaine de dollars par jour pour

1

vous stationner à votre hôtel. Nous vous conseillons donc fortement de découvrir Washington à pied et, pour parcourir des distances plus longues, de recourir aux transports en commun.

Si, malgré tout, vous souhaitez louer une voiture, notamment pour visiter les environs de la capitale, sachez que plusieurs agences de location exigent que leurs clients soient âgés d'au moins 25 ans et que toutes insistent pour qu'ils soient en possession d'une carte de crédit reconnue.

En transports en commun

Washington Metropolitan Area Transit Authority

Grâce au réseau de transports en commun géré par la **Washing-ton Metropolitan Area Transit Authority (WMATA)** *(202-962-2121, www.wmata.com)*, la capitale américaine s'enorgueillit de son métro et de ses autobus rapides et modernes. Les lignes de métro sont en service tous les jours jusqu'à minuit (jusqu'à 3h les vendredi et samedi).

Le système de tarification peut cependant s'avérer laborieux pour les non-initiés. Un **ticket** coûte de 1,70$ à 6,75$ selon la période de la journée et la destination. Vous pouvez en acheter dans les gros distributeurs automatiques de titres de transport qu'on retrouve dans chaque station de métro. Il est valide pour une période de 2h après l'entrée dans le réseau et peut être utilisé aussi bien pour le métro que pour l'autobus. Il vous permettra

1. Le métro de Washington.
2. Le National Mall.

de passer d'un autobus à un autre, mais pas du métro à l'autobus.

Il existe deux types de carte d'accès au métro: la **Farecard** (carte régulière) et la **SmartTripCard**, toutes deux vendues par les guichetiers du métro et dans les distributeurs automatiques de titres de transport.

Avec la **Farecard**, le passage coûte au moins 2,10$, selon votre destination, plus des frais de 1$ que vous pouvez éviter de payer en achetant la SmartTripCard (voir ci-dessous). Avec la Farecard, vous obtenez en plus du passage la correspondance gratuite du métro à l'autobus ou d'un autobus à un autre.

Avec la **SmartTripCard**, vous pouvez acheter, à prix fixe, un nombre illimité de passages pour le métro ou l'autobus. Il en existe plusieurs types, permettant par exemple des trajets illimités durant un ou sept jours *(14$ à 57,50$)*.

En taxi

De nombreux taxis sillonnent les rues de Washington. Vous n'aurez, la plupart du temps, qu'à lever le bras pour en héler un. Voici, malgré tout, les coordonnées de quelques compagnies de taxis:

Diamond Cab: 202-387-2221

Yellow Cab: 202-546-7900, www.dcyellowcab.com

À pied

C'est habituellement à pied que l'on apprécie le mieux une ville.

Washington pratique

Washington n'échappe pas à cette règle. C'est encore la marche qui permet le mieux de goûter la richesse architecturale de Washington, de profiter de ses nombreux parcs et places publiques ou de faire du lèche-vitrine. Donc, lors de votre séjour dans la capitale américaine, assurez-vous de ne pas oublier vos chaussures de marche.

À vélo

Washington est une ville agréable à parcourir à vélo et, de plus en plus, on voit apparaître des pistes cyclables. Les meilleurs endroits pour faire du vélo sont les abords du fleuve Potomac et le National Mall.

Plusieurs entreprises font la location de vélos. En voici quelques-unes:

Bike and Roll: Union Station, 50 Massachusetts Ave., 202-962-0206; 955 L'Enfant Plaza, 202-842-2453; www.bikethesites.com

Big Wheel Bikes: Georgetown, 1034 33rd St. NW, 202-337-0254, www.bigwheelbikes.com

Washington offre un **service de vélos en libre-service** toute l'année, appelé **Capital Bike-Share** *(877-430-2453, www.capitalbikeshare.com)*. Moyennant des frais d'abonnement *(7$/24h, 15$/3 jours, 25$/1 mois, 75$/1 an)* et des frais d'utilisation calculés par tranche de 30 min *(2$ à 6$ et plus; les premières 30 min sont gratuites)*, ce service permet d'emprunter l'un des 2 500 vélos à l'une des quelque 300 stations parsemées dans Washington et Arlington.

1. Cycliste aux abords du fleuve Potomac.

2. Capital BikeShare.

↘Bon à savoir

Ambassades et consulats étrangers

Belgique

Ambassade: 3330 Garfield Street NW, Washington, DC 20008, 202-333-6900, www.diplobel.us

Consulat: 1065 Avenue of the Americas, New York, NY 10019-5422, 212-586-5110

Canada

Ambassade: 501 Pennsylvania Avenue NW, Washington, DC 20001, 202-682-1740, www.canadianembassy.org

Consulat: 1251 Avenue of the Americas, New York, NY 10020-1175, 212-596-1628

France

Ambassade: 4101 Reservoir Road NW, Washington, DC 20007, 202-944-6000, www.ambafrance-us.org

Consulat: 4101 Reservoir Road, Washington, DC 20007, 202-944-6195, www.consulfrance-washington.org

Suisse

Ambassade: 2900 Cathedral Avenue NW, Washington, DC 20008, 202-745-7900, www.swissemb.org

Consulat: 633 Third Avenue, 30th Floor, New York, NY 10017-6706, 212-599-5700

Argent et services financiers

Monnaie

L'unité monétaire des États-Unis est le dollar américain ($US), divisé en 100 cents. Il existe des bil-

Washington pratique

Taux de change

1$US	=	1,09$CA
1$US	=	0,72€
1$US	=	0,88FS
1$CA	=	0,91$US
1€	=	1,38$US
1FS	=	1,13$US

N.B. Les taux de change peuvent fluctuer en tout temps.

lets de banque de 1, 5, 10, 20, 50 et 100 dollars, ainsi que des pièces de 1 (*penny*), 5 (*nickel*), 10 (*dime*) et 25 (*quarter*) cents. Il y a aussi les pièces d'un demi-dollar et d'un dollar ainsi que le billet de deux dollars, mais ils sont très rarement utilisés.

Il est à noter que tous les prix mentionnés dans le présent ouvrage sont en dollars américains.

Banques

Les banques sont généralement ouvertes du lundi au vendredi, de 9h à 15h. Le meilleur moyen pour retirer de l'argent à Washington consiste à utiliser sa carte bancaire (carte de guichet automatique). Attention, votre banque vous facturera des frais fixes (par exemple

5$CA), et il vaut mieux éviter de retirer de petites sommes.

Bars et boîtes de nuit

Certains établissements exigent des droits d'entrée, particulièrement lorsqu'il y a un spectacle. Pour les consommations, un pourboire d'environ 15% de l'addition est de rigueur (voir p. 157). Notez que l'âge à partir duquel il est permis légalement de boire de l'alcool est de 21 ans.

Climat

Le climat à Washington est généralement plaisant, hormis les étés chauds et humides. Durant cette saison, en effet, le thermomètre peut monter à plus de 30°C. Si vous comptez voyager en été, munissez-vous de vêtements légers. Le printemps et l'automne sont aussi très agréables; il vous est néanmoins conseillé d'emporter une veste, un parapluie et un imperméable. Quant à la saison froide, veillez à apporter bottes, foulard, tuque et mitaines, car les températures peuvent avoisiner le point de congélation.

Décalage horaire

À Washington, il est six heures plus tôt qu'en Europe et trois heures plus tard que sur la côte ouest de l'Amérique du Nord. Washington et le Québec partagent le même fuseau horaire.

Marvin.

Moyennes des températures et des précipitations

	Maximum (°C)	Minimum (°C)	Précipitations (mm)
Janvier	3	–3	93
Février	6	–2	81
Mars	10	2	111
Avril	16	7	114
Mai	22	12	106
Juin	26	18	112
Juillet	29	21	117
Août	28	20	113
Septembre	24	16	109
Octobre	18	10	112
Novembre	12	6	102
Décembre	6	0	102

Washington pratique

Vietnam Veterans Memorial, Memorial Day.

Électricité

Partout aux États-Unis et en Amérique du Nord, la tension électrique est de 110 volts et de 60 cycles (Europe : 50 cycles) ; aussi, pour utiliser des appareils électriques européens, devrez-vous vous munir d'un transformateur de courant adéquat, à moins que le chargeur de votre appareil n'indique 110-240V.

Les fiches électriques sont plates, et vous pourrez trouver des adaptateurs sur place ou, avant de partir, vous en procurer dans une boutique d'accessoires de voyage ou une librairie de voyage.

Heures d'ouverture

Les commerces sont généralement ouverts du lundi au mercredi de 10h à 18h, le jeudi et le vendredi de 10h à 21h, et le dimanche de midi à 17h. Les supermarchés et les grandes pharmacies ferment en revanche plus tard ou restent même, dans certains cas, ouverts 24 heures sur 24, sept jours sur sept.

Jours fériés

Voici la liste des jours fériés aux États-Unis. Notez que la plupart des magasins, services administratifs et banques sont fermés pendant ces jours.

New Year's Day (jour de l'An)
1er janvier

Martin Luther King, Jr. Day
troisième lundi de janvier

President's Day (anniversaire de George Washington)
troisième lundi de février

Memorial Day (jour des morts de guerre)
quatrième lundi de mai

Independence Day (fête nationale)
4 juillet

Labor Day (fête du Travail)
premier lundi de septembre

Columbus Day (jour de Christophe Colomb)
deuxième lundi d'octobre

Veterans Day (jour des Vétérans et de l'Armistice)
11 novembre

Thanksgiving Day (jour de l'Action de grâce)
quatrième jeudi de novembre

Christmas Day (Noël)
25 décembre

Pourboire

Le pourboire s'applique à tous les services rendus à table, c'est-à-dire dans les restaurants et les autres endroits où l'on vous sert à table (la restauration rapide n'entre donc pas dans cette catégorie). Il est aussi de rigueur dans les bars, les boîtes de nuit et les taxis, entre autres.

Selon la qualité du service rendu, il faut compter environ 15% de pourboire sur le montant avant taxes. Il n'est généralement pas, comme en Europe, inclus dans l'addition, et le client doit le calculer lui-même et le remettre à la serveuse ou au serveur. Ne pas donner de pourboire est très, très mal vu!

Presse écrite

On publie divers journaux à Washington, dont le plus important est sans conteste *The Washington Post* (www.washingtonpost. com), qui est l'un des journaux les plus réputés aux États-Unis. Dans l'édition du samedi, vous y trouverez le Guide to the Lively Arts, qui donne la liste des spectacles à l'affiche dans les cinémas et les théâtres, ainsi que celle des expositions itinérantes. *The Washington Times* (www.washingtontimes. com) est un autre journal publié dans la capitale. Parmi les journaux distribués gratuitement, qui sont une véritable source d'information pour les visiteurs, on retrouve le *Washington City Paper* (www. washingtoncitypaper.com), qui paraît le vendredi. On le trouve facilement dans plusieurs commerces de la ville ainsi que dans les bars et restaurants.

Il existe plusieurs publications destinées à la clientèle gay et lesbienne. On y trouve des adresses de bars et de restaurants où les communautés gay et lesbienne aiment se retrouver. Ces publications sont distribuées gratuitement et sont disponibles dans les commerces, bars et restaurants. Sachez que vous trouverez des distributrices à tous les coins de rue dans les quartiers de Dupont Circle et d'Adams Morgan. Parmi ces publications figurent *Washington Blade* (www.washingtonblade.com) et *Metro Weekly* (www.metroweekly. com).

Washington pratique

Les **food** trucks *de Washington*

Permise depuis 2009 à Washington, la cuisine de rue a fait de nombreux adeptes depuis. Oubliez les petits kiosques à hot-dog et préparez-vous à vivre de véritables expériences gastronomiques. Les prix varient d'un camion à l'autre, mais restent généralement raisonnables (*$-$$*).

Pour savoir en tout temps où se garent les camions, visitez le site *http://foodtruckfiesta.com/dc-food-trucks*

Nos camions préférés:

Red Hook Lobster Pound
(sandwichs au homard)

Basil Thyme
(cuisine italienne)

Pho Junkies
(soupes vietnamiennes)

Far East Taco Grille
(tacos)

Hula Girl Truck
(cuisine hawaïenne)

Les *food trucks* de Washington.

Renseignements touristiques

Destination DC: 901 Seventh St. NW, Suite 400, 202-789-7000 ou 800-422-8644, www.washington.org

Washington, DC Visitor Information Center: 1300 Pennsylvania Ave. NW, 866-324-7386, www.downtowndc.org

White House Visitor Center: Herbert Hoover Building, 1450 Pennsylvania Ave. NW, 202-208-1631

Smithsonian Information Center: The Castle, 1000 Jefferson Dr. SW, 202-633-1000, www.si.edu

Restaurants

Que vous soyez friand de cuisine française, indienne, éthiopienne, chinoise ou italienne, Washington regorge d'adresses qui sauront réjouir vos papilles gustatives.

Chaque quartier abrite de petites perles de restaurants, mais notre préférence va à Georgetown et Dupont Circle, qui proposent d'excellentes tables rivalisant d'originalité.

Les Américains parlent du *breakfast* pour désigner le repas du matin, du *lunch* pour le repas de midi et du *dinner* pour le repas du soir. Le *brunch*, qui combine les mots *breakfast* et *lunch*, est généralement servi les samedi et dimanche entre 10h et 14h. Au centre-ville, certains restaurants affichent aussi des menus «après-théâtre» (généralement proposés entre 22h et minuit).

Dans le chapitre «Explorer Washington», vous trouverez la description de plusieurs établissements pour chaque quartier.

Sachez qu'il est essentiel, dans les meilleurs restaurants, de réserver sa table en téléphonant plusieurs heures, jours, voire semaines à l'avance.

Les tarifs indiqués dans ce guide s'appliquent à un repas complet pour une personne, avant les boissons, les taxes (voir p. 161) et le pourboire (voir p. 157).

$	moins de 15$
$$	de 15$ à 25$
$$$	de 26$ à 40$
$$$$	plus de 40$

Parmi les restaurants proposés dans ce guide, certains se distinguent encore plus que les autres. Nous leur avons donc attribué le label Ulysse 🌐. Repérez-les en premier!

Washington pratique

Verizon Center.

Santé

Pour les personnes en provenance d'Europe et du Canada, aucun vaccin n'est nécessaire. D'autre part, il est vivement recommandé, en raison du prix élevé des soins, de souscrire une bonne assurance maladie-accident. Il existe différentes formules de protection, et nous vous conseillons de les comparer. Emportez vos médicaments, surtout ceux qui exigent une ordonnance. Sauf indication contraire, l'eau est potable partout dans la région de Washington.

Sécurité

En prenant les précautions d'usage, il n'y a pas lieu d'être inquiet outre mesure pour sa sécurité à Washington. La réputation de la capitale n'est plus ce qu'elle a déjà été, et on peut désormais s'y promener en toute sécurité, les quartiers à éviter étant tous situés hors de la zone touristique. Si toutefois la malchance était avec vous, n'oubliez pas que le numéro de secours est le **911**, ou le **0** en passant par le téléphoniste.

Sports professionnels

Basketball et hockey

**Washington Wizards/
Washington Capitals**
Verizon Center, 601 F St. NW, 202-266-2277, http://capitals.nhl.com

Les amateurs de basketball se rendent au Verizon Center pour assister aux matchs des **Washington Wizards** (www.nba.com/wizards) de la National Basketball Association (NBA). Il est également possible d'y voir les **Washington**

Capitals *(http://capitals.nhl.com)* de la Ligue nationale de hockey.

Football américain

Washington Redskins

FedExField, 1600 FedEx Way, Landover, Maryland, www.redskins.com

Pour participer à la folie des matchs de football américain, rendez-vous au FedExField à Landover, dans l'État du Maryland, pour y voir jouer les Redskins de la National Football League (NFL).

Baseball

Washington Nationals

Nationals Park, 1500 South Capitol St. SE, http://washington.nationals.mlb.com

Les matchs des Nationals de la Ligue nationale de baseball sont présentés au Nationals Park, situé à Washington.

Taxes

Notez qu'une taxe de vente de 5,75% est systématiquement ajoutée à tout achat effectué à Washington, sauf sur les produits alimentaires achetés dans des épiceries.

La taxe sur l'hébergement est quant à elle de 14,5%.

Télécommunications

Malgré la prédominance des téléphones cellulaires, on trouve encore aisément des cabines téléphoniques fonctionnant à l'aide de pièces de monnaie (0,50$) ou de cartes d'appel.

Dans la grande majorité des cas, l'indicatif régional de Washington est le **202**. En périphérie de Washington, l'indicatif régional est le **301** ou le **703**.

Notez que le numéro complet de 10 chiffres doit être composé dans tous les cas, même pour les appels locaux à l'intérieur de la grande région de Washington.

Tout au long du présent ouvrage, vous apercevrez des numéros de téléphone dont le préfixe est *800, 855, 866, 877* ou *888*, entre autres. Il s'agit alors de numéros sans frais, en général accessibles depuis tous les coins de l'Amérique du Nord.

Pour téléphoner à Washington depuis le Québec, vous devez composer le *1* suivi de l'indicatif régional, puis le numéro de votre correspondant. Depuis la France, la Belgique et

Washington pratique

la Suisse, il faut faire le *00-1*, suivi de l'indicatif régional et du numéro.

Pour joindre le Québec depuis Washington, vous devez composer le *1*, l'indicatif régional de votre correspondant et finalement son numéro. Pour atteindre la France, faites le *011-33*, puis le numéro complet en omettant le premier zéro. Pour téléphoner en Belgique, composez le *011-32*, l'indicatif régional puis le numéro. Pour appeler en Suisse, faites le *011-41*, l'indicatif régional et le numéro de votre correspondant.

Visites guidées

Big Bus Tour
à compter de 40$; tlj 9h à 17h; 877-332-8689, http://eng.bigbustours.com/washington

Big Bus Tour est probablement le tour guidé de Washington le plus pratique; il vous fera découvrir les principaux bâtiments situés le long du National Mall et l'Arlington National Cemetery. Les embarquements se font toutes les 30 min. Il est également possible de descendre à tout moment du bus afin de visiter l'un ou l'autre des musées et il ne vous en coûtera rien pour remonter à bord. Plusieurs circuits sont proposés, qui varient entre 45 min et 2h.

DC Metro Food Tours
à compter de 52$; www.dcmetrofoodtours.com

Les *foodies* seront heureux d'apprendre que DC Metro Food Tours organise des visites guidées à thématique gastronomique. Que vous choisissiez le circuit de Georgetown, de U Street, de Dupont Circle

ou d'Adams Morgan, les tours sont intéressants et comptent plusieurs haltes qui permettent de goûter à des spécialités du secteur. Les horaires et les durées sont variables.

Old Town Trolley Tours
à compter de 40$; tlj 9h à 17h, départs toutes les 30 min; 888-910-8687, www.trolleytours.com/washington-dc

Old Town Trolley Tours propose des visites commentées des principaux attraits touristiques de la ville. On peut descendre et monter dans le prochain trolley à tout arrêt.

Scandal Tours
35$; avr à sept; 202-783-1212, www.gnpcomedy.com/ScandalTours.html

Si vous désirez découvrir la ville de façon plus inusitée, sachez que Scandal Tours fait une visite guidée de Washington basée sur tous les scandales dont a été témoin la capitale américaine, depuis le Watergate jusqu'aux secrets du FBI.

Visiteurs à mobilité réduite

L'organisme américain suivant est en mesure de fournir des renseignements utiles aux voyageurs à mobilité réduite: **Society for Accessible Travel and Hospitality** (*347 Fifth Ave., Suite 605, New York, NY 10016, 212-447-7284, www.sath.org*).

L'office de tourisme de Washington fournit aussi de l'information pertinente sur son site Internet: *http://washington.org/DC-information/washington-dc-disability-information*.

National Cherry Blossom Festival.

Calendrier des événements

Voici un aperçu des plus grands événements annuels tenus à Washington. Nous vous invitons à consulter les sites Internet des organismes pour en connaître les dates exactes, qui peuvent varier d'année en année.

Janvier

Restaurant Week
www.ramw.org/restaurantweek
Pendant une semaine en janvier, certaines des meilleures tables de Washington se rendent plus accessibles en offrant un menu du midi de trois services à 20$, et pour le repas du soir, un menu de trois services à 35$. Une belle façon de découvrir des restaurants qui peuvent être hors de prix pour le commun des mortels. L'événement se tient aussi en août.

Février ou mars

DC Independent Film Festival
www.dciff-indie.org
Ce festival présente, pendant cinq jours à la fin février ou au début mars, des films indépendants des quatre coins de la planète.

Mars et avril

National Cherry Blossom Festival
fin mars à mi-avr;
www.nationalcherryblossomfestival.org
Ce festival célèbre l'arrivée du printemps et, surtout, la floraison des cerisiers à Washington. Plusieurs activités sont organisées, dont un défilé.

Washington pratique

Francophonie Cultural Festival

www.francophoniedc.org

Du début mars à la mi-avril, ce festival présente des films, des concerts et des pièces de théâtre, tous en français. La Grande Fête est le moment fort du festival, alors qu'une trentaine d'ambassades s'associent pour présenter leur culture et leur gastronomie, le tout en musique.

Annual White House Easter Egg Roll

lundi de Pâques; sur le South Lawn de la Maison-Blanche,
www.whitehouse.gov/eastereggroll

Depuis 1878, la Maison-Blanche organise une chasse aux œufs de Pâques pour les enfants de moins de 13 ans.

Filmfest DC

mi-avr à fin avr; www.filmfestdc.org

Ce festival de films est l'occasion de découvrir le travail de cinéastes de partout à travers le monde.

Mai

Dragon Boat Festival

mi-mai; www.dragonboatdc.com

Pendant deux jours à la mi-mai, on peut assister à des courses de bateaux-dragons sur le fleuve Potomac.

Passport DC

http://passportdc.org

Pendant le mois de mai, il est possible de faire le tour du monde à Washington. Prestations musicales, cours de langue, dégusta-tions culinaires et autres activités sont organisés par les ambassades afin de faire découvrir leurs pays respectifs aux visiteurs.

Juin

Capital Pride

www.capitalpride.org

Au début juin, cette célébration de la fierté gay culmine avec la Capital Pride Parade, un défilé qui attire 150 000 personnes.

DC Jazz Festival

fin juin; www.dcjazzfest.org

Lors de ce festival de jazz, plus de 125 spectacles ont lieu dans la ville.

Source Festival

www.sourcefestival.org

Le Source Festival permet d'assister à des pièces de théâtre jouées aussi bien par de jeunes acteurs émergents que par des acteurs reconnus.

Smithsonian Folklife Festival

www.festival.si.edu

Le Smithsonian Folklife Festival se tient au National Mall entre les musées du Smithsonian. Chaque année, un pays est mis en valeur et de nombreux spectacles (chants, danses) sont présentés. Le festival se tient de la fin juin au début juillet.

Juillet

Capital Fringe Festival

www.capitalfringe.org

Le Capital Fringe Festival présente durant deux semaines des créations originales de dramaturges et d'artistes contemporains.

Août

Restaurant Week

www.ramw.org/restaurantweek

Voir la description plus haut, en janvier.

Septembre

Library of Congress National Book Festival

www.loc.gov/bookfest

Organisé par la Library of Congress, ce festival invite les visiteurs à rencontrer des auteurs et illustrateurs et à assister à des conférences.

Adams Morgan Day

www.ammainstreet.org

Lors de l'Adams Morgan Day, les gens sont invités à visiter les marchands de 18th Street NW entre Florida Avenue et Columbia Road. Des concerts ont alors lieu dans les rues.

Fiesta DC

www.fiestadc.org

Ce festival propose des concerts, des activités pour les enfants et des dégustations de cuisine latino-américaine, sans oublier la Parade of Nations, qui met en vedette des centaines de danseurs.

17th Street Festival

mi-sept; www.17thstreetfestival.org

Dans 17th Street entre Riggs Place et P Street NW, on peut assister à

National Christmas Tree Lighting.

plusieurs concerts de musique lors de ce festival.

Octobre

VelocityDC Dance Festival

www.velocitydc.org

Le VelocityDC Dance Festival présente, à la mi-octobre, des performances de danseurs et danseuses exécutées par les meilleures compagnies de danse en ville.

Décembre

National Christmas Tree Lighting

www.thenationaltree.org

Début décembre, on peut assister à l'illumination de l'arbre de Noël de la Maison-Blanche, installé au nord-est de l'Ellipse, un espace vert adjacent. Plusieurs musiciens populaires participent à l'événement.

Washington pratique

index

lexique
français-anglais ↘

Bonjour	*Hello*	S'il vous plaît	*Please*
Bonsoir	*Good evening/night*	Merci	*Thank you*
Bonjour, au revoir	*Goodbye*	De rien, bienvenue	*You're welcome*
Comment ça va?	*How are you?*	Excusez-moi	*Excuse me*
Ça va bien	*I'm fine*	J'ai besoin de...	*I need...*
Oui	*Yes*	Je voudrais...	*I would like...*
Non	*No*	C'est combien?	*How much is this?*
Peut-être	*Maybe*	L'addition, s'il vous plaît	*The bill please*

Directions

Où est le/la...?	*Where is...?*	entre	*between*
Il n'y a pas de...	*There is no...,*	ici	*here*
Nous n'avons pas de...	*We have no...*	là, là-bas	*there, over there*
à côté de	*beside*	loin de	*far from*
à l'extérieur	*outside*	près de	*near*
à l'intérieur	*in, into, inside*	sur la droite	*to the right*
derrière	*behind*	sur la gauche	*to the left*
devant	*in front of*	tout droit	*straight ahead*

Le temps

après-midi	*afternoon*	avril	*April*
aujourd'hui	*today*	mai	*May*
demain	*tomorrow*	juin	*June*
heure	*hour*	juillet	*July*
hier	*yesterday*	août	*August*
jamais	*never*	septembre	*September*
jour	*day*	octobre	*October*
maintenant	*now*	novembre	*November*
matin	*morning*	décembre	*December*
minute	*minute*	nuit	*night*
mois	*month*	Quand?	*When?*
janvier	*January*	Quelle heure est-il?	*What time is it?*
février	*February*	semaine	*week*
mars	*March*	dimanche	*Sunday*

lundi	*Monday*	vendredi	*Friday*
mardi	*Tuesday*	samedi	*Saturday*
mercredi	*Wednesday*	soir	*evening*
jeudi	*Thursday*		

Au restaurant

banquette	*booth*	café	*coffee*
chaise	*chair*	dessert	*dessert*
cuisine	*kitchen*	entrée	*appetizer*
salle à manger	*dining room*	plat	*dish*
table	*table*	plat principal	*main dish / entree*
terrasse	*patio*	plats végétariens	*vegetarian dishes*
toilettes	*washroom*	soupe	*soup*
		vin	*wine*
petit déjeuner	*breakfast*		
déjeuner	*lunch*	saignant	*rare*
dîner	*dinner / supper*	à point (médium)	*medium*
		bien cuit	*well done*

Achats

appareils électroniques	*electronic equipment*	équipement photographique	*photography equipment*
artisanat	*handicrafts*	journaux	*newspapers*
boutique	*store / boutique*	librairie	*bookstore*
cadeau	*gift*	marché	*market*
carte	*map*	pharmacie	*pharmacy*
carte postale	*postcard*	supermarché	*supermarket*
centre commercial	*shopping mall*	timbres	*stamps*
chaussures	*shoes*	vêtements	*clothing*
coiffeur	*hairdresser / barber*		
équipement informatique	*computer equipment*		

Pour mieux échanger avec les Washingtoniens,
procurez-vous le guide de conversation
L'anglais pour mieux voyager en Amérique.

Crédits photographiques

p. 5 © Dreamstime.com/Izanbar, p. 6 © Dreamstime.com/Tupungato, p. 8 © iStockphoto.com/Pgiam, p. 8 © Dreamstime.com/Wangkun Jia, p. 8 © Dreamstime.com/F11photo, p. 8 © Dreamstime.com/Scruggelgreen, p. 9 © Dreamstime.com/Chrishowey, p. 9 © iStockphoto.com/Phototreat, p. 9 © Dreamstime.com/Tinnaporn Sathapornnanont, p. 9 © Dreamstime.com/Ang Wee Heng John, p. 9 © Dreamstime.com/Wangkun Jia, p. 9 © Dreamstime.com/Songquan Deng, p. 11 © Dreamstime.com/Gavril Margittai, p. 13 © Dreamstime.com/Camrocker, p. 15 © Shutterstock.com/lesapi images, p. 17 © Dreamstime.com/Lmel900, p. 18 © Lyse Gravel, p. 19 © Dreamstime.com/Cvandyke, p. 20 © iStockphoto.com/lillisphotography, p. 21 © Dreamstime.com/Sborisov, p. 21 © Dreamstime.com/Cvandyke, p. 22 © Dreamstime.com/Cvandyke, p. 22 © Jeff Martin, p. 23 © Elvert Barnes, flickr.com/Elvert Barnes, p. 23 © Mandarin Oriental, Washington D.C, p. 24 © Angela napili, flickr.com/angela n, p. 24 © Annie Gilbert, p. 25 © iStockphoto.com/Toni Scott, p. 25 © flickr.com/dbking, p. 26 © Elvert Barnes, flickr.com/Elvert Barnes, p. 29 © Dreamstime.com/Konstantin Lobastov, p. 30 © Dreamstime.com/Vlights, p. 32 © Dreamstime.com/Jemaerca, p. 33 © Dreamstime.com/ Adam Parent, p. 34 © Dreamstime.com/Songquan Deng, p. 36 © Elvert Barnes, flickr.com/Elvert Barnes, p. 38 © Glyn Lowe, www.GlynLowe.com, p. 42 © Dreamstime.com/Christopher Crews, p. 43 © Shutterstock.com/Jon Bilous, p. 45 © Lyse Gravel, p. 46 © Dreamstime.com/Orhan Çam, p. 48 © Dreamstime.com/Ichtor, p. 49 © Shutterstock.com/Richard Cavalleri, p. 50 © Angela napili, flickr.com/angela n, p. 52 © John, flickr.com/star5112, p. 53 © Evan Cooper, flickr.com/methTICALman, p. 54 © Dreamstime.com/trekandshoot, p. 57 © Dreamstime.com/Sborisov, p. 61 © Shutterstock.com/Mesut Dogan, p. 63 © Dreamstime.com/Wangkun Jia, p. 65 © Dreamstime.com/Alex Grichenko, p. 66 © Shutterstock.com/Cristina CIOCHINA, p. 67 © Jay Cross, flickr.com/jaycross, p. 68 © Sgt. First Class Chris Branagan, U.S. Army Band, p. 71 © Shutterstock.com/Alan Freed, p. 75 © Dreamstime.com/Photobulb, p. 76 © Dreamstime.com/Vanessa Gifford, p. 77 © Dreamstime.com/Fintastique, p. 79 © Dreamstime.com/Marcorubino, p. 80 © Dreamstime.com/Lane Erickson, p. 82 © Dreamstime.com/Americanspirit, p. 84 © Elvert Barnes, flickr.com/Elvert Barnes, p. 89 © Annie Gilbert, p. 90 © Elvert Barnes, flickr.com/Elvert Barnes, p. 93 © La Tomate, p. 95 © Elvert Barnes, flickr.com/Elvert Barnes, p. 97 © Lyse Gravel, p. 99 © Dreamstime.com/Dave Newman, p. 103 © Dreamstime.com/Michael Wood, p. 105 © Dreamstime.com/Richard Gunion, p. 106 © Daniel Lobo - Daquellamanera.org, p. 108 © Lyse Gravel, p. 109 © Photo par Hawkins/IntangibleArts, p. 111 © Dreamstime.com/Victor Torres, p. 115 © Lyse Gravel, p. 116 © Elvert Barnes, flickr.com/Elvert Barnes, p. 118 © Travis Vaughn Photography, p. 120 © Skyhighart Photography par Peter Stepanek, p. 122 © Annie Gilbert, p. 124 © Dreamstime.com/Steveheap, p. 126 © iStockphoto.com/beklaus, p. 127 © iStockphoto.com/Joesboy, p. 130 © Dreamstime.com/Joe Ravi, p. 131 © Shutterstock.com/Frontpage, p. 132 © Dreamstime.com/Michael Corrigan, p. 135 © Dreamstime.com/Photobulb, p. 137 © Dreamstime.com/Orhan Çam, p. 139 © Hotel George/Ron Blunt, p. 140 © Angela napili, flickr.com/angela n, p. 141 © flickr.com/TravelingOtter, p. 142 © Andrew Turner, flickr.com/Andrew Turner, p. 143 © flickr.com/TravelingOtter, p. 145 © Lyse Gravel, p. 146 © Linda Rae Duchaine, flickr.com/Beadmobile, p. 148 © Dreamstime.com/Orhan Çam, p. 150 © Dreamstime.com/Chris Bence, p. 151 © iStockphoto.com/Iolie, p. 152 © iStockphoto.com/azndc, 153 Shutterstock.com/Karel Tatransky, p. 155 © Dominique Fierro, p. 156 © Dreamstime.com/Dinhhang, p. 159 © Ted Eytan, flickr.com/tedeytan, p. 160 © John M, flickr.com/jsmjr, p. 163 © Elvert Barnes, flickr.com/Elvert Barnes, p. 165 © Glyn Lowe, www.GlynLowe.com, p. 167 © Dreamstime.com/Orhan Çam

Poursuivez votre exploration avec le **guide**
Fabuleuse Côte Est américaine.